Le livre des

EXPRESSIONS QUÉBÉCOISES

Du même auteur:

Croyances et Pratiques populaires au Canada français, Les Éditions du Jour, Montréal, 1973.

Le p'tit almanach illustré de l'habitant, Les Éditions de l'Aurore, Montréal, 1974.

Le Livre des proverbes québécois, Les Éditions de l'Aurore, Montréal, 1974. (édition princeps)

Le Noyau, roman, Les Éditions de l'Aurore, Montréal, 1975.

Dictionnaire de la météorologie populaire au Québec, Les Éditions de l'Aurore, Montréal, 1976.

Magie et Sorcellerie populaires au Québec, Les Éditions Triptyque, Montréal, 1976.

Le Livre des proverbes québécois, deuxième édition, Hurtubise HMH, Montréal, 1978.

Lettres, poèmes, Les Éditions de l'Hexagone, Montréal, 1979.

Le livre des

EXPRESSIONS QUÉBÉCOISES

Pierre DesRuisseaux

Hurtubise HMH

*Le Conseil des Arts du Canada
a accordé une subvention pour la
publication de cet ouvrage.*

Maquette de la couverture:
Pierre Fleury

Éditions Hurtubise HMH, Limitée
7360 boul. Newman
Ville LaSalle, Québec
H8N 1X2
Canada
Téléphone: (514) 364-0323

ISBN 2-89045-200-X

Dépôt légal/3ᵉ trimestre 1979
Bibliothèque Nationale du Canada
Bibliothèque Nationale du Québec

Imprimé au Canada

Table des matières

Table des illustrations

Anonyme

« Ce que monsieur Puff, ébéniste, fait le plus souvent », *La Scie*, volume 2, numéro 3, Québec, 10 décembre 1864, sans pagination. (ill. 6)

Beaugrand, Honoré

La Chasse-galerie, chez l'auteur, Montréal, 1900, p. 33 (illustration d'Henri Julien). (ill. 5)

Boulizon, Guy

Contes et Récits canadiens d'autrefois, Beauchemin, Montréal, 1961, p. 29 (illustration de E.-J. Massicotte). (ill. 20)

Bourgeois, Aldéric

Les Voyages de Ladébauche autour du monde, chez l'auteur, imprimé par A. et N. Pelletier, Montréal, s.d., sans pagination, « Ladébauche en Turquie/On dort comme des chérubins ». (ill. 14)

idem, « Ladébauche en Autriche et en Suisse/Elle voulait que je l'épouse ». (ill. 3)

ibidem, « Ladébauche en Turquie/Homme de chanquier, c'est plus chouette et plus indépendant. » (ill. 19)

Eco, Umberto et Zorzoli, G. B.
Histoire illustrée des inventions, Éditions du Pont royal (DelDuca-Laffont), Paris, 1961, p. 174. (ill. 12)

Fréchette, Louis; Beaugrand, Honoré; Stevens, Paul
Contes d'autrefois, Beauchemin, Montréal, 1946, p. 12 (illustrations d'Henri Julien). (ill.13)

idem, p. 41. (ill. 18)

ibidem, p. 45. (ill. 11)

ibidem, p. 56. (ill. 17)

ibidem, p. 58. (ill. 4)

ibidem, p. 68. (ill. 2)

ibidem, p. 137. (ill. 15)

ibidem, p. 226. (ill. 7)

ibidem, p. 257. (ill. 16)

Gravel, Ludger
Recueil de légendes illustrées, chez l'auteur, imprimé par Beauchemin, Montréal, 1896, p. 26. (ill. 9)

idem, p. 62. (ill. 10)

ibidem, p. 98. (ill. 8)

Julien, Henri
Album, Beauchemin, Montréal, 1916, « Sir H. Joly de Lotbinière », p. 64. (ill. 1)

Nos remerciements au personnel de la salle Gagnon (Bibliothèque centrale de la ville de Montréal) qui nous a facilité l'accès aux documents, ainsi qu'aux maisons d'édition qui ont bien voulu nous autoriser à reproduire des illustrations provenant de leurs fonds.

2

Table des abréviations

(Pour le détail, se référer à la bibliographie en fin d'ouvrage)

Civ. trad.

Sœur Marie-Ursule (c.s.j.), *Civilisation traditionnelle des Lavalois.*

Coll. Massicotte

Édouard-Zotique Massicotte, Fonds Édouard-Zotique Massicotte.

Fantastique de la Beauce

Jean-Claude Dupont, *Le Monde fantastique de la Beauce québécoise.*

Gloss. du parler fr.

Société du parler français au Canada, *Glossaire du parler français au Canada.*

Île Verte

Marcel Rioux, *Culture de l'Île Verte.*

Le Forgeron

Jean-Claude Dupont, *Le Forgeron et ses traditions.*

Litt. orale

Carmen Roy, *La Littérature orale en Gaspésie.*

Parler des Can. fr.

Abbé Vincent-Pierre Jutras, *Le Parler des Canadiens français.*

Trésor ds montagne

Marthe Hogue, *Un Trésor dans la montagne.*

Introduction

Cet ouvrage, *Le Livre des expressions québécoises* constitue avant tout une gageure: celle de démontrer qu'il existe effectivement et en grand nombre des locutions, expressions et comparaisons typiquement québécoises et de les énoncer expressément dans un ouvrage qui se voudrait outil de consultation et instrument d'enrichissement personnel et collectif.

Louis-Alexandre Bélisle, dans la préface de son *Dictionnaire général de la langue française au Canada* parle de « ces expressions typiques que l'on pourrait citer à des centaines d'exemples... » En fait, il faudrait sans doute dire dans ce cas-ci « des milliers d'exemples » car le nombre de ces expressions, bien qu'indéterminé — et, pourrait-on dire, indéterminable de par leur nature même, mouvante, fugitive, en constante transformation et mutation — au niveau de la langue usuelle, n'en est pas moins fort impressionnant si j'en juge par mes propres enquêtes qui n'ont d'ailleurs pas tout relevé, je n'en doute guère, de la richesse quasi inépuisable du corpus populaire.

Mais, pourrait-on arguer, quelle est après tout la *véritable* utilité d'un dictionnaire d'expressions, de comparaisons et de locutions québécoises? Eh bien, en premier lieu, sans doute qu'un tel ouvrage tire son utilité du fait justement qu'il n'en existait jusqu'à présent aucun au Québec qui recensât expressément, avec leur signification et les variantes, ces énoncés que pourtant tout un chacun utilise dans la vie courante. Mais aussi, l'utilité d'un ouvrage tel que celui-ci s'explique peut-être du fait que les expressions, locution et comparaisons d'origine populaire sont des entités linguistiques et idéologiques aux éléments indissociables (ce qui s'appelle en linguistique des *syntagmes*), et qui, traduites littéralement ou transposées hors de leur contexte d'utilisation, perdent tout sens. C'est pourquoi, si on désire connaître et comprendre *fondamentalement* une langue, il importe d'en connaître *aussi* les expressions, les locutions et comparaisons particulières, dont la signification ne ressort pas d'emblée pour l'*outsider*. Car il s'agit bien finalement, lorsqu'on parle plus spécifiquement d'expressions et de locutions, de conventions linguistiques et idéologiques précises qui, si elles sont valables et valorisées dans un contexte géographique et culturel délimité, deviennent insensées dans une autre culture et en un autre lieu.

Au Québec, on affectionne tout particulièrement ce genre d'énoncés, probablement parce qu'il constitue un moyen facile et économique d'exprimer par association de termes particuliers une idée précise, inexprimable par ailleurs par des mots isolés dont le sens serait immédiatement et expressément perceptible, à cause notamment d'interdits, de tabous renvoyant pour leur part à une réalité socio-culturelle donnée. Il va sans dire que nous ne sommes pas les seuls à user de ce procédé linguistique qui se rattache entre autres aux notions de « poésie populaire » et d'« esprit de la langue », expressions tangibles au sein de la quotidienneté de ce qu'on appelle parfois l'imaginaire collectif. Tout peuple, toute nation possède en effet ses expressions, ses locutions et ses comparaisons propres dont rendent compte de multiples dictionnaires et ouvrages spécialisés (ex.: Rat, *Dictionnaire des locutions françaises,* Dubois, *Dictionnaire français-anglais de locutions et expressions verbales).*

Je suis assuré qu'on ne manquera pas de mentionner les lacunes de cet ouvrage. Je tiens donc dès à présent à avertir les détracteurs: ce *dictionnaire* possède des lacunes; l'important est de ne pas s'arrêter qu'à celles-ci, comme c'est trop souvent le cas ici chez nos savants critiques. J'ai trop œuvré dans l'ombre et subi les assauts sournois des poncifs et larbins du colonialisme culturel, quand ce n'était pas le silence superbe de ceux dont le rôle est précisément de diffuser la culture, pour ne pas savoir, au sortir de ce cycle de travaux sur la culture populaire, quelle est la nature spécifique des forces en présence.

Tant d'ouvrages québécois sont à inventorier — je m'aperçois par exemple à l'instant que j'ai omis dans ma bibliographie le bel ouvrage de David Rogers paru récemment (1977) chez VLB: *Dictionnaire de la langue québé-*

coise rurale —, tant de lieux, de villages à visiter afin de cueillir ces fines fleurs de notre parler avant qu'elles ne dépérissent, qu'il est pratiquement impossible d'un seul coup de faire un tour exhaustif du sujet. Je laisse donc à d'autres le soin d'interpréter ces divers textes sous toutes leurs facettes, sociologiques, psychologiques, philosophiques, etc., et exprime pour ma part l'espoir, dans une édition subséquente, d'ajouter encore aux énoncés contenus dans ce *petit dictionnaire*.

Je ne vais pas tenter ici de définir *très précisément* ce que sont les « expressions », les « locutions » et les « comparaisons », ce propos étant davantage celui du linguiste et du lexicologue patenté que le mien. Il n'est pas inutile cependant d'affirmer que pour tout un chacun, une expression est, sous la forme d'un groupement de mots fixé par l'usage, une façon particulière de s'exprimer, de dire les choses. La locution, quant à elle, et que nous considérerons plus spécialement dans le présent ouvrage sous deux divisions: locution verbale et locution adverbiale, s'identifie plutôt, quand on y regarde de près, à un ensemble de termes formant une entité lexicale fonctionnelle et décrivant une action ou une idée sans connotation morale expresse. Il en est ainsi, par exemple, de: *aller son petit bonhomme de chemin, avoir les quatre fers en l'air.*

Plusieurs questions se posent par ailleurs en ce qui concerne l'origine des locutions et expressions, leur dissémination dans le temps et l'espace, leur signification par rapport au contexte, les raisons et mobiles de leur création et la cause de leur disparition subséquente. Répondre à ces questions serait répondre en quelque sorte à toutes celles qui ont trait aux éléments du langage et au langage lui-même au sein des sociétés humaines. Nous nous bornerons simplement à donner pour certains énoncés compris dans cet ouvrage, des éléments de réponse quant à l'origine, la signification de termes obscurs ou tombés en désuétude et, lorsqu'il y aura lieu, l'aire d'utilisation spécifique.

Cueillette. La méthode de cueillette adoptée pour recueillir les énoncés du présent *dictionnaire* étant sensiblement identique à celle qui a été décrite dans mes précédents ouvrages (en particulier, *Croyances et pratiques populaires au Canada français* et *Le livre des proverbes québécois*), il est inutile que je revienne de nouveau sur le sujet si ce n'est pour dire que la cueillette s'est opérée de 1969 à 1978 inclusivement, ne comptant pas les interruptions et délais inhérents à la recherche.

Je me suis largement inspiré des travaux de mes prédécesseurs et collègues chercheurs et créateurs — ethnologues, folkloristes, historiens, auteurs dramatiques, etc. — dont on trouvera la nomenclature sommaire en fin de volume. Je m'en voudrais, en passant, de ne pas remercier tous ceux qui de près ou de loin ont collaboré à cette recherche, et tout spécialement ces nombreux informateurs et rapporteurs qui ont apporté leur concours amical et efficace en me communiquant sous forme d'énoncés une partie de ce savoir populaire tellement précieux.

Économie du dictionnaire. On trouvera dans cet ouvrage des locutions, des comparaisons et des expressions d'usage courant au Québec. Comme je l'ai écrit précédemment, le contenu de ce dictionnaire n'est pas exhaustif. Cependant j'ai fait de mon mieux pour y inclure le plus grand nombre possible d'énoncés, en n'omettant et ne retranchant rien de ce qui pouvait entrer à l'intérieur de ces deux catégories, même si, parfois, la nature un peu gauloise ou « verte » de certains de ceux-ci risque d'en choquer quelques-uns. Car la morale évolue et ce qui pouvait paraître offensant hier ne l'est plus guère aujourd'hui, en sorte qu'il m'a paru bon — ne me posant pas en juge de ce que j'avais justement à colliger — d'inclure ces énoncés qu'un abbé Jutras, par exemple, n'aurait sans doute pu décemment, il y a quelques décennies à peine, insérer dans son manuscrit, à cause de la morale particulière de l'époque.

Par ailleurs, j'ai laissé tels quels des énoncés qui contiennent des anglicismes patents (ex.: *checker ses claques*) de façon à ne pas trahir l'usage même de la langue courante, me bornant seulement dans certains cas à traduire le terme en question pour ceux des lecteurs qui en ignoreraient le sens en français.

Les expressions, locutions et comparaisons de la langue usuelle sont truffées de gallicismes qu'il m'a fallu nombre de fois expliciter, soit par le biais de l'étymologie, soit par celui du contexte d'utilisation, ce qui bien souvent éclaire d'un jour nouveau des énoncés autrement obscurs ou banalisés et les replace dans une continuité linguistique et sociale déterminée. J'ai fait de même en ce qui concerne des énoncés entiers pour lesquels, par ailleurs, le rapport de signification avec les termes les composant ressort d'évidence.

La signification proposée de l'énoncé, qui apparaît immédiatement dessous celui-ci en caractères italiques, est celle qu'adoptent les utilisateurs eux-mêmes. J'ai cru bon, quand la signification me semblait par trop restreinte ou incomplète, de faire appel à d'autres utilisateurs et informateurs de façon à obtenir la donnée la plus conforme possible à l'usage réel. Évidemment, on ne saurait présager dans le présent cas, d'usages autres, régionaux ou locaux, susceptibles d'avoir cours et dont même une enquête linguistique approfondie ne saurait rendre compte dans son ensemble. Enfin, on trouvera la ou les variante(s) des énoncés de même que le titre en abréviation des travaux souvent peu connus du grand public, dans lesquels certains de ces énoncés apparaissent également.

J'ai suivi pour le classement l'ordre alphabétique des mots clés. Le mot clé se définit en l'occurrence pour ce qui est des expressions et locutions comme le terme principal, fût-il nom, adjectif ou adverbe, qui dans la majorité des cas suit immédiatement le verbe. Là où il n'y a aucun verbe ou encore dans les cas où la convention s'applique difficilement à cause de la forme particulière de l'énoncé, j'ai simplement choisi le mot dominant (ex.: *Dieu* dans « Pour l'amour du bon Dieu »). Pour ce qui est de la comparaison, le mot clé est le terme principal qui apparaît dans la dernière partie de l'énoncé, ordinairement le substantif qui suit immédiatement « comme ». (ex.: *Hareng* dans « Maigre comme un hareng boucané »).

Au cas où on ne connaîtrait pas le mot clé, il n'est qu'à se référer à l'index littéral situé à la fin de l'ouvrage. De plus, on trouvera un tableau des abréviations, et, dans un premier appendice, un petit lexique de mots composés qui furent glanés ici et là au cours des enquêtes. Dans un deuxième appendice est consignée la nomenclature des nombreux informateurs qu'il me fut donné de rencontrer au cours de cueillettes sur le terrain.

Accoter. Pouvoir accoter quelqu'un.
Pouvoir défier quelqu'un avec succès, pouvoir l'égaler.

Accoucher. Accoucher qu'on bâtisse.
Se dépêcher.
S'emploie à la forme impérative. Indique l'impatience.
« Accouche qu'on bâtisse, on n'a pas toute la journée à attendre. »

Achat. Faire achat.
Avoir un nouveau-né.
Autrefois, la future mère disait aux enfants qu'elle allait acheter le bébé du sauvage (Amérindien), d'où l'expression.

Affaire. Savoir chenailler son affaire.
Savoir faire en vitesse, avec célérité.
Se dit d'une personne débrouillarde et rapide, qui n'a pas les deux pieds dans la même bottine. Chenailler: courir aussi vite qu'un chien (étymologie), chienaille

(XIIe siècle): troupe de chiens (d'Hauterive, *Diction-naire d'ancien français);* filer en vitesse (acception populaire).

Affaires. Avoir un train d'affaires.

Avoir une quantité d'affaires, une suite ininterrompue d'affaires.

Etymologiquement, *train* se dit d'une suite de personnages marquants. Il en est ainsi, par exemple, et indirectement, d'un train de chemin de fer: suite de wagons tirée par une locomotive.

Agneau. Doux comme un agneau.

Très doux.

« Il ne dit jamais un mot plus haut que l'autre, il est doux comme un agneau. »

Aiguille. Chercher une aiguille dans un voyage de foin.

Chercher une partie minuscule dans un ensemble très vaste.

Se dit de quelque chose difficile à trouver.

Var. Chercher une aiguille dans une botte de foin.

Air. Faire de l'air.

S'éloigner, partir rapidement.

En France, on dira *partir en coup de vent* dans un sens légèrement différent. Se dit sur le ton impératif à un importun pour le faire s'éloigner.

Air d'aller. N'avoir plus que l'air d'aller.

N'avoir plus que l'impulsion, n'avoir plus grand force.

Autrefois, il était coutume que le père, âgé et souffrant d'épuisement, se « donne » à son fils et lui lègue sa ferme. On pouvait donc dire, à la suite de cet abandon volontaire, que le vieillard n'avait plus alors que l'air d'aller, c'est-à-dire qu'il n'avait plus tellement de force.

Aires. Pas savoir les aires de vent.

Ne pas avoir le sens de la direction, ne pas savoir se diriger.

Aire de vent: direction géographique du vent. Sur le cadran de la boussole, les aires de vent correspondent, par convention, aux trente-deux divisions de la circonférence du cercle.

Amen. Supplier jusqu'à amen.

Supplier longuement.

Se dit des enfants qui supplient interminablement leurs parents afin d'obtenir quelque faveur. Allusion à la formule finale des prières religieuses. On dira aussi « Ad vitam aeternam » pour parler d'une durée quasi interminable.

Amitié. Prendre amitié sur quelqu'un.

Se lier d'amitié avec quelqu'un.

Un vieux dit à un jeune: « Je suis trop vieux pour prendre amitié sur toi. » (*in* Marcel Rioux, *Culture de l'Île Verte.*)

Ancre. Rester à l'ancre.

Rester inoccupé; pour une jeune fille, ne pas trouver à se marier.

De toute évidence, l'expression dérive du vocabulaire maritime; *rester à l'ancre,* en effet, c'est prendre du repos, récupérer entre deux voyages en mer.

Âne. Lâche comme un âne.

Paresseux à l'extrême.

L'âne, n'étant guère utilisé comme animal de trait au Québec, il n'en demeure pas moins que son caractère singulier est universellement connu.

Var. Paresseux comme un âne.

Cir. trad. Coll. Dulong.

Ange. Avoir une voix d'ange.

Posséder une voix harmonieuse.

Se dit d'un enfant qui chante divinement.

Ange. Belle (beau) comme un ange.

Superbe, radieuse (radieux).

Se dit d'une personne. Rat *(Dict. des loc.)* attribue l'origine des métaphores ayant « ange » pour terme de comparaison, à un certain Ange Vegèce, célèbre calligraphe fort apprécié sous le règne de François Ier. Par contre, il est évident dans le cas présent que la comparaison est d'ordre religieux.

Parler des Can. fr.

Ange. Doux (douce) comme un ange.

Très doux (douce).

C'est-à-dire d'une douceur angélique, qui n'a rien d'humain, de terre à terre.

Parler des Can. fr.

Litt. orale.

Ange. Sage comme un ange.

Très sage.

« Cette petite fille, fort jolie, était au demeurant sage comme un ange. »

Var. Sage comme une image.
Civ. trad.

Anguille. Y avoir anguille sous roche.
Y avoir quelque chose de louche.
Se dit pour indiquer sa méfiance par rapport à une réalité ou une situation qui « n'est pas catholique ».

Année. Dater de l'année du siège.
Dater de très loin.
Se dit d'un individu très âgé ou d'un événement très loin dans le temps. L'année du siège, c'est naturellement celle du siège de Québec, en 1759.

An quarante. S'en moquer comme de l'an quarante.
S'en ficher éperdument.
« La raison de ce proverbe (sic), c'était qu'une prédiction avait annoncé que l'an 1740 verrait s'accomplir des événements terribles, désastreux, la fin du monde même, disaient quelques-uns. 1740 passa et l'on s'en moqua. Les mêmes prédictions furent réitérées pour l'année 1840. Nos poètes canadiens de l'époque s'en préoccupèrent et dans les poésies de nouvelle année du *Canadien* et de la *Gazette de Québec*, il y était fait allusion... » — Anonyme, *Bulletin des recherches historiques*, Lévis, octobre 1887, p. 153.
*F.C.** S'en ficher comme de sa première culotte.
Litt. orale.

---

*Indique une expression équivalente usitée en français commun.

Aria. Être un aria du (beau) diable.

Être d'une complexité inouïe.

« Au bureau de votation c'était un aria du beau diable à tel point que je n'ai pu voter. »

Arracheur de dents. Menteur comme un arracheur de dents.

Très menteur.

« Arracheur de dents », synonyme de « dentiste ». Celui-ci, en effet, raconte souvent n'importe quel mensonge afin d'enrayer la frayeur de son patient, d'où la présente comparaison.

Arranger. Se faire arranger.

Se faire posséder, berner.

« C'était la première fois qu'il sortait, il s'est fait arranger correct. »

Arse. Avoir de l'arse.

Avoir de la place.

Espace, place: « Faites de l'arse là-bas! ».

Parler pop. des Can. fr.

Cette expression n'est plus guère usitée de nos jours.

As. Battre quatre as.

Au-dessus de tout.

Superlatif. On dirait aujourd'hui « au boute ». Dans de nombreux jeux de cartes, le joueur qui possède quatre as remporte la partie; il est difficile, donc, de battre quatre as. Ne s'utilise qu'à la forme impersonnelle.

Voir: **comète.**

As. Jouer comme un as.

Jouer fort bien.

L'as est dans plusieurs jeux la carte maîtresse. L'acception actuelle date vraisemblablement de notre siècle.

Litt. orale.

As de pique. Figé comme un as de pique.

À l'attention, immobile, interdit.

« À la sortie de la grand'messe, elle était figée comme un as de pique devant monsieur le curé. »

Par extension: « Être planté quelque part comme un as de pique, se tenir debout de manière à gêner son voisin. »

Parler pop. des Can. fr.

Assiette. Ne pas être dans son assiette.

Être maussade, momentanément dans une mauvaise disposition.

En langage maritime, l'assiette est l'équilibre horizontal du navire sur l'eau; sur un voilier, cet équilibre est automatiquement rétabli grâce au lest.

Var. Ne pas être d'équerre.

Autre. Se prendre pour un autre.

Adopter des attitudes empruntées, fausses.

Var. Se prendre pour ce qu'on n'est pas.

F.C. Se croire.

Avance. Être d'avance.

Être prompt, vif.

Par opposition, ne pas être d'avance: être difficile

d'approche, lent. La forme affirmative de l'expression ne s'emploie plus guère dans le langage courant.

Avocat. Savant comme un avocat.

Érudit.

N'oublions pas que l'avocat de même que le curé et le notaire étaient jadis souvent les personnes les plus instruites du village.

F.C. Savant jusqu'aux dents.

Litt. orale.

Avoine. Manger de l'avoine.

Essuyer un échec.

Aussi « faire manger de l'avoine à quelqu'un », damer le pion à quelqu'un.

« Découragé par cet échec, Charlot résolut de ne plus s'exposer à manger d'avoine. » — Albert Laberge, *La Scouine,* L'Actuelle, p. 59.

Se dit plus particulièrement d'un échec amoureux. A ce sujet, une amusante coutume existait autrefois dans certaines provinces françaises qui consistait, quand une jeune fille ne désirait plus rencontrer un jeune homme, à déposer à la dérobée dans une de ses poches une poignée d'avoine, à la suite de quoi celui-ci, comprenant le message, cessait de lui faire sa cour, d'où la présente expression. Par extension, on dira « faire manger de l'avoine à quelqu'un » pour le supplanter, le reléguer au second rang.

(ill. 1)

B

Baboune. Faire la baboune.

Bouder.

C'est-à-dire littéralement faire la grosse lèvre, ainsi que font parfois les enfants. D'après l'étymologie, on disait autrefois *babouine* en français. Baboune (« baboon », angl.: babouin). La babouin est un singe aux lèvres proéminentes.

Bacul. Chier sur le bacul.

Se désister devant la tâche.

Autrefois, les chevaux pris de panique chiaient souvent sur le palonnier ou bacul de la voiture, d'où par extension, cette locution familière. Se dit à propos d'un travail, d'une tâche que l'on hésite à accomplir. « Michel, chaque fois qu'arrivait le temps des foins, chiait sur le bacul. »

Bacul. Ruer dans le bacul.

Se rebiffer.

Bacul: pièce de bois transversale qui retient l'attelage derrière le cheval.

« Quand on lui a coupé la danse du samedi soir, je te dis qu'il ruait dans le bacul. »

Baguette.
Voir: **Minot.**

Baguettes. Avoir les baguettes en l'air.
Avoir les bras levés en signe de colère, gesticuler de colère.

Par vague analogie, baguettes est ici synonyme de bras. Cette locution ne s'emploie spécifiquement que pour exprimer la colère.

« Il avait les baguettes en l'air et était rouge comme une tomate, prêt à frapper celui qui l'avait insulté. »

Balai. Fou comme un (le) balai.
Très fou.

La comparaison fait allusion aux mouvements désordonnés de va-et-vient du balai dans la maison, qui suggère évidemment la folie. Se dit aussi pour qualifier un individu pris d'une joie sans bornes.

« Le chien était fou comme le balai de revoir son maître après si longtemps. »

F.C. Fou à lier.

Ballant. Être en ballant.
Être en équilibre instable.

« Tit-Pit Vallerand était en ballant sur la clôture pi tout d'un coup y est tombé comme une poche. »
— Fréchette, *Contes de Jos Violon.*

Balle. Gelé comme une balle.
Très engourdi.

Se dit pour qualifier celui qui, intoxiqué par la drogue, reste figé sur place.

Balle. Passer comme une balle.

Passer en trombe.

La comparaison fait allusion à la vitesse fulgurante d'une balle d'arme à feu.

« Il est passé comme une balle, il allait au chevet d'un parent à l'article de la mort. »

Civ. trad.

Balle. Sain comme une balle.

Très sain, en parfait état.

La comparaison se rapporte particulièrement aux choses. Balle veut dire ici le projectile dont la perfection dans la forme suggère évidemment la présente comparaison.

« Ce bois, malgré son âge avancé, est sain comme une balle. »

Parler des Can. fr.

Ballon. Lancer un ballon.

Lancer une rumeur politique.

Pourrait dériver de l'expression française; *lancer un ballon d'essai,* qui signifie « tenter une expérience sans se compromettre ». Particulièrement à propos d'un adversaire.

« Le député du canton lança un ballon mais sans grand succès. »

Balloune. Être en balloune.

Être enceinte.

D'une femme qui a le ventre gros comme une balloune
(« balloon », angl.: ballon).

Balloune. Partir sur une balloune.

Fêter, aller s'enivrer.

Par comparaison avec le pawaw, la balloune implique
une beuverie tandis que le pawaw est plus élaboré,
plus important, le sens se rapprochant de celui de
« sauterie ».

« Ti-Jos est encore parti sur une balloune, c'est lui
qui a fermé le « grill », samedi soir. »

Balustre. Être un mangeux de balustre.

Être bigot, dévot à l'excès, étroit d'esprit.

Les balustres sont ces petits piliers qui rassemblés
entre eux forment, dans l'église, une clôture qui
sépare l'autel des bancs des fidèles.

Bananes.

Voir **Épelures.**

Banque. Bon comme la banque.

Solvable.

La banque, en effet, offre une garantie à toute épreuve.
S'emploie à propos d'une transaction commerciale.
« Il paiera, garanti, parce qu'il est bon comme la
banque. »

Parler des Can. fr.

Banque. Pouvoir fondre une banque.

Pouvoir dépenser beaucoup.

« Ce garçon, même s'il gagnait de grosses gages,
pouvait fondre une banque. »

Barabbas. Connu comme Barabbas dans la Passion.

Très connu.

« Notre maire, dans tout le comté, est connu comme Barabbas dans la Passion. »

Barbe. Faire la barbe à quelqu'un.

Supplanter quelqu'un.

Locution d'origine européenne. Celle-ci dérive d'une coutume guerrière moyenâgeuse qui consistait à humilier le vaincu en lui coupant la barbe.

Parler des Can. fr.

Barbe. Rire dans sa (ses) barbe(s).

Rire à la dérobée.

Se dit, par exemple, à propos d'un malheur prévu par quelqu'un et qui se produit effectivement. De celui qui en est la victime, on en rit dans sa barbe.

F.C. Rire sous cape.

Bardeau. Avoir un bardeau en moins.

Être idiot.

Péjoratif.

« Il doit lui manquer un bardeau pour qu'il accepte de vendre sa maison à si bas prix. »

Var. Être zin-zin.

F.C. Être timbré.

Bardeaux. Dire un chapelet en bardeaux.

« Certains sont des virtuoses du chapelet: ils font chevaucher avec tant d'aisance les deux versets de l'Ave Maria, qu'ils peuvent diminuer du tiers la durée de la récitation; c'est ce qui s'appelle dire « un chapelet en bardeaux. » — Madeleine Ferron, Robert Cliche, *Quand le peuple fait la loi,* HMH, Montréal, 1972.

Barouche. Avoir le ventre comme une barouche.
Avoir le ventre plat.
La barouche ou boghei était une voiture à traction animale constituée de planches posées sur deux paires de roues, d'où, sans doute, la comparaison imagée qui se rapporte à la minceur du plancher de ce véhicule. *Parler des Can. fr.*

Barouche. Lent comme une barouche.
D'une lenteur excessive.
Barouche: voiture formée de planches plus ou moins flexibles supportées par deux paires de roues. *(Gloss. du parler fr.)*
Parler des Can. fr.

Barouetter. Se faire barouetter.
Se faire berner, se faire reconduire d'un intermédiaire à l'autre.
Barouetter: de brouette, petite caisse à une roue et deux brancards, d'usage courant. Barouette: déformation de ce mot. Barouetter, c'est transporter des marchandises dans une brouette. Par contre, se faire barouetter, c'est proprement se faire raconter toutes sortes d'histoires qui ne tiennent pas debout.
Var. Se faire embarquer.

Barre. Raide comme une barre.
Figé à l'attention.

« Il était raide comme une barre, à l'attention devant le colonel des zouaves. »
Parler des Can. fr.

Bascule. Donner la bascule à quelqu'un.

Se dit d'un jeu ou d'une amusante pratique qui consiste pour deux personnes à s'emparer d'une troisième par les jambes et les bras et à lui imprimer un mouvement de balancier. Ainsi, pour fêter l'anniversaire de quelqu'un, on le balancera un nombre de fois équivalent à son âge. Geoffrion *(Zigzags autour de nos parlers)* y discerne un restant du vieux supplice français du même nom encore en usage à la fin du Moyen Âge.

Basse messe. Finir par une basse messe.

Se terminer par un mariage.

Boutade populaire. Chez nous, naguère, la cérémonie du mariage s'accompagnait toujours de la célébration de la messe, d'où la présente expression.

« Cette histoire entre Joséphine et Gédéon va sûrement finir par une basse messe. »

Basse messe. Finir une basse messe.

Se dit d'une réalité dont la fin ne répond pas en ampleur au commencement.

« Richard vient de finir une basse messe avec la petite Catherine. »

Var. Finir en queue de poisson.
Parler des Can. fr.

Bateau. Manquer le bateau.

Rater une occasion, ignorer le sens d'un argument.

« Duplessis lui avait fait comprendre à demi-mot ses intentions mais il a complètement manqué le bateau. »

Batte. Lâcher le batte.

Abandonner, laisser tomber.

« Il faudrait que vous lâchiez le batte, le père, que vous laissiez la terre. »

Batte. Passer quelqu'un au batte.

Tabasser quelqu'un.

Batte (« bat », angl.: bâton). C'est-à-dire faire un mauvais parti à quelqu'un.

Beau. Faire beau quand on l'aura.

Attendre longtemps pour avoir quelque chose.

À propos de quelque chose que l'on ne veut pas accorder à quelqu'un. Ne s'utilise qu'au futur.

« Il va faire beau quand tu l'auras, mon poulain, mon merle. »

F.C. Attendre belle lurette.

Trésor ds montagne.

Beau. Il va faire beau demain, hein?

Se dit pour inviter un importun à s'éloigner, à « faire du vent ». Par dérision, utilisation d'un sujet sans importance.

Beau. Y'a rien de trop beau pour les boys.

Rien n'est trop cher.

Pour justifier une folle dépense. Formule utilisée notamment dans le syndicalisme.

Beau-père. Aller su'(chez) le beau-père.

Cheminer rapidement, congédier rudement quelqu'un.

L'expression vient de ce qu'il était coutume autrefois, pour le gendre et sa famille, aux fêtes, d'aller visiter le beau-père, et comme il fallait faire toutes les visites à la parenté le même jour, il importait nécessairement de se dépêcher.

« Il y va su' l'beau-père avec son petit boghei. »

F.C. Envoyer promener quelqu'un.

Becsie. Jaloux comme un becsie.

Très jaloux.

« L'homme, un bossu, était jaloux comme un becsie » — *Veillées du bon vieux temps,* p. 70.

Beignes. Passer aux beignes.

Se faire semoncer, réprimander.

Se dit notamment des enfants qui se font vertement réprimander par leurs parents. L'expression *passer les beignes* s'emploie d'un autre point de vue pour réprimander, semoncer, etc. Le sens de l'expression se rapproche de la signification de *beigne* qui vient de « bosse », dont dérive par ailleurs notre canadianisme « beigne » dit « beignet » en France.

Belette. Passer en belette.

Passer en trombe.

Se dit d'un visiteur qui se hâte de quitter les lieux sitôt arrivé.

« Le père Jacques passe en belette chaque fois qu'il vient au village. »

La belette, étant un animal très farouche, se hâte de décamper aussitôt sa curiosité assouvie, d'où l'expression.

F.C. Passer en coup de vent.
Civ. trad.

Belette. Senteux comme une belette.
Très curieux, fouineur.
On dit aussi, en tronquant la première partie de la comparaison, *une (vraie) belette,* pour caractériser une personne curieuse. Cet animal, en effet, est reconnu pour être un des plus curieux qui soient.
Var. Curieux comme une belette.
Parler des Can.fr.

Bénédiction. Aller comme une bénédiction.
Aller à la perfection.
La bénédiction, en effet, s'opère avec un geste lent, emphatique, sans à-coups, qui évoque naturellement la perfection.
« Cette voiture, ma foi, va comme une bénédiction. »
Parler des Can. fr.

Bête. Rester bête.
Être coi.
Se dit de la réaction à un événement inattendu, surprenant. Se rapporte à la bête traquée qui se fige dans l'attente face à son assaillant. Vient vraisemblablement d'une déformation d'un ancien mot français, *bé,* qui est une exclamation d'étonnement. (Greimas, *Dict. de l'ancien fr.*)

Bête à cornes. Être une bête à cornes.
Être imbécile, brute.

« C'était, malgré certains traits d'esprit, une vraie bête à cornes. »
F.C. Bête à manger du foin.

Bêtises. Manger des bêtises.
Se faire injurier.
« Il a mangé des bêtises à cause de son intervention inopportune. »
Var. Manger un paquet de bêtises; crier des bêtises à quelqu'un (injurier quelqu'un).
Parler des Can. fr.

Beurre. Bon comme du beurre.
Très bon.
Ne s'emploie qu'au sens moral.
« Cet homme est très généreux, il est bon comme du beurre. »
Parler des Can. fr.

Beurre. Fondre comme du beurre dans la poêle.
Fondre, disparaître rapidement.
S'emploie notamment à propos d'argent.
« Aussitôt qu'il a quelques piastres, elles fondent comme du beurre dans la poêle. »
Parler des Can. fr.

Beurre. Passer comme du beurre dans la poêle.
Passer facilement, sans difficulté.
« Sa menterie est passée comme du beurre dans la poêle. »
Var. Disparaître comme le beurre dans la poêle. *(Civ. trad.)*
Parler des Can. fr.

Beurre. Pouvoir marcher sur le beurre sans se graisser les pattes.

Être rusé, subtil.

Se dit de quelqu'un qui sait ne pas se mouiller dans toutes sortes d'histoires. Synonyme de « être fin comme une mouche. »

Coll. Massicotte.

Beurre. Prendre le beurre à poignée.

Dilapider ses ressources.

« Il prenait encore le beurre à poignée malgré qu'il fût au bord de la dèche. »

Se dit aussi d'une personne aux manières inconvenantes à table.

Parler des Can. fr.

Trésor ds montagne.

Beurrer. Se laisser beurrer.

Se laisser amadouer, flatter, leurrer.

« La petite Josette se laissa beurrer par le beau Ti-Jean qui, le lendemain, est allé se vanter aux amis. »

Parler des Can. fr.

Bibite. Être en bibite.

Être en colère, mécontent.

Var. Être en (beau) joual vert, maudit, démon, etc.

Bible. Aller lire sa bible.

Ficher la paix à quelqu'un.

Allusion au prêtre qui a souvent le nez dans sa bible. Se dit à la forme impérative, pour éloigner un importun: « Va lire ta bible, on est occupé! »

Bière. N'être pas de la petite bière.

Ne pas être négligeable, ni sans valeur.

La petite bière, c'est la bière d'épinette ou la bière de piquette, comme on dit si bien, que l'on fabriquait autrefois chez nous, à domicile, faute de pouvoir s'offrir mieux.

« Ouais, son travail, la perfection même, ce n'est pas de la petite bière. »

Blanche. Aller le train de la blanche.

Aller lentement.

Aller au rythme cadencé que dicte le cheval galopant de son pas familier. La blanche: surnom généralement donné au cheval que l'on affectionne.

Parler des Can. fr.

Blé-d'Inde. Envoyer un blé-d'Inde.

Dévoiler une fausse rumeur devant témoins.

Cette expression se rapproche d'*envoyer un ballon,* en politique.

« Ti-Gus a envoyé un blé-d'Inde pas mal puissant rapport à Ti-Mousse. »

Parler des Can. fr.

Bleu(s). Avoir le(s) bleu(s).

Souffrir d'hypocondrie, être cafardeux, dépressif.

Tout, quand on est dans cet état, possède une allure triste, morne, comme les vêtements qu'on passe au bleu de teinturerie et qui acquièrent une teinte caractéristique. Calque littéral de l'anglais « To have the blues » (« The entire staff seems to have the blues this morning » — William Freeman, *A Concise Dictionary of English Idioms,* The Writer, Boston, 1969, p. 32).

« S'ennuyant de sa femme, le pauvre homme avait les bleus. »

Parler des Can. fr.

Bobettes. Ne pas manger ses bobettes.

Ne pas s'énerver.

Ne s'emploie qu'au mode impératif.

« Mange pas tes bobettes, rien ne presse pour accomplir ce travail. »

Bœuf. Effronté comme un bœuf maigre.

Très effronté.

Comme le bœuf affamé perd toute retenue, de même l'effronté n'éprouve aucune gêne.

Bœuf. Traître comme un bœuf maigre.

Imprévisible, sournois.

« Cette vieille ratoureuse était en outre traître comme un bœuf maigre » (sic).

Parler des Can. fr.

Bœuf.

Voir: **Front**

Bœufs. Fort comme une paire de bœufs.

Très fort.

On se rappellera le grand usage que l'on faisait autrefois du bœuf comme animal de trait au Québec et que l'on attelait habituellement par paire à la charrette ou au boghei.

Var. Fort comme un bœuf.

Bœufs. Vent à écorner les bœufs.

Vent d'une forte vélocité.

L'expression est exagérée bien sûr et diffère en outre sensiblement de celle utilisée en France.

F.C. Une bise à décorner les bœufs.

Boghei. Être fatigué du boghei.

Être fatigué, harassé.

Se dit d'un état de grande fatigue physique, de celle qui cause des courbatures dans tout le corps.

Boire debout. Mouiller à boire debout.

Pleuvoir abondamment.

Var. Pleuvoir à boire debout, mouiller à siaux (seaux), c'est-à-dire assez pour emplir des seaux; autrefois, lorsqu'il pleuvait, on en profitait pour emplir les seaux de cette eau qui servait aux soins de beauté et aux usages domestiques, d'où l'expression.

Bois. Aller dans le bois sans hache.

Accomplir un travail avec des outils impropres.

Parler des Can. fr.

Bois. Chanter comme une rangée de bois qui déboule.

Chanter mal, fausser.

Civ. trad.

Bois. N'être pas sorti du bois.

N'être pas au bout de ses difficultés.

Se dit à propos d'une réalité qui n'a pas fini de nous causer des ennuis.

« Avec cet imbroglio dans le recomptage des votes, on n'est pas sorti du bois. »

F.C. N'être pas sorti de l'auberge.

(ill. 2)

Bois de calvaire. Être (ou n'être pas) du bois de calvaire.
(N')être (pas) excessivement dévot, pieux.

« …un Irlandais qu'était point du bois de calvaire plusse qu'un autre […] mais qui pouvait pas […] sentir un menteur en dedans de quarante arpents. » — Fréchette, *Contes de Jos Violon.*

« Pit Violon et Tom Caribou n'étaient point du bois de calvaire. » (« La lune blanche » *in* Marius Barbeau, *L'Arbre des rêves*.)

Boîte. Fermer sa boîte.
Se taire.
Var. Fermer la boîte à quelqu'un: le faire taire.
F.C. Se la fermer.

Bolle. La bolle (sic) a vu son visage plus souvent que ses fesses.
S'être trouvé souvent ivre.
Bolle (« toilet-bowl », angl.: cuvette). Boutade à l'égard de celui qui est souvent en état d'ivresse.
Péjoratif.

Bon. Rire comme un bon.
Rire volontiers, à gorge déployée.
« Bon » ne s'emploie pas que dans cette comparaison; on dira par exemple « aller comme un bon » pour: aller vite, « Faire comme un bon » pour: bien faire, « être un bon » pour: être étonnant, etc.
Civ. trad.

Bon. Travailler comme un bon.
Travailler avec ardeur.

« Il travaille encore comme un bon tandis que ses amis
se reposent. »
Parler des Can. fr.

Bon Dieu. Donner le bon Dieu sans confession.

Se dit de quelqu'un qui semble au-dessus de tout
reproche, de tout soupçon. Sauf exception, on ne fait
pas communier celui qui n'a pas reçu la confession; on
peut donc s'imaginer dans quel état d'innocence
se trouve celui pour qui on fait mentir la règle. Par
dérision.

Bonhomme. Aller au bonhomme.

Décamper.

À un importun: « Va donc au bonhomme, achale-moi
donc pas! » On dit aussi « bonhomme » pour parler
familièrement du père de famille.

Var. Aller chez le bonhomme.

F.C. Aller au diable.

Trésor ds montagne.

Bonhomme. Envoyer quelqu'un chez le bonhomme.

Éconduire quelqu'un.

Bonjour. Simple comme bonjour.

Très facile, d'une simplicité enfantine.

Par rapport à une tâche, une fonction.

« Enseigner, après tout, c'est simple comme bonjour. »
Parler des Can. fr.

Bonneter. Se laisser bonneter.

Se laisser amadouer, leurrer par des compliments.

Étymologiquement, *bonneter* signifie « donner des

coups de bonnets », c'est-à-dire posséder quelqu'un par des bassesses.

« La pauvre femme, elle s'est laissée bonneter bellement par son sans-cœur de mari. »

Bossu. Chanceux comme un bossu.

Très chanceux.

La croyance populaire voit dans le bossu un être susceptible de procurer la chance. C'est ainsi que j'ai pu relever au Québec, par exemple, la croyance qui veut que de toucher à un bossu porte chance.

« Il est flouqué sans bon sens, chanceux comme un bossu, ma vieille! »

Litt. orale.

Bossu. Rire comme un bossu.

Rire beaucoup, à gorge déployée.

Vient de ce que les bossus sont des gens joviaux et prompts à rire. Procède de la position accroupie de celui qui rit aux larmes, qui ressemble à celle du bossu.

Var. Rire comme des bossus.

Botte. Gros comme ma botte.

De très petite taille, minuscule.

Procédé utilisant dans le cas présent l'exagération et la dérision pour exprimer la futilité de la taille.

« Ce chihuahua, gros comme ma botte, jappait comme un vrai bouledogue. »

F.C. Gros comme trois pommes.

Parler des Can. fr.

Litt. orale.

Botte. Tomber en botte.

Tomber en ruine.

L'expression vient probablement du fait qu'autrefois les bottes de fabrication domestique se détérioraient rapidement à cause de la piètre qualité de la confection, vérité qui, par extension, s'applique dans la présente expression. Geoffrion *(Zigzags autour de nos parlers)* donne une explication plausible de l'expression lorsqu'il affirme que dans la langue maritime *tomber en botte* se dit de la dislocation voulue de certaines pièces ou parties d'un tout afin de faire gagner de l'espace sur un navire; il en est ainsi des seaux, des tonneaux, des chaloupes.

« ...on pouvait toujours point rester à se faire craquer les joints et à se licher les babines dans c'te vieille cambuse qui *timbait en bottes...* » — Fréchette, *Contes de Jos Violon.*

Parler des Can. fr.

Bottes. Tremper ses bottes.

S'enivrer, se mouiller les pieds.

Var. Se rincer le gosier.

Île Verte.

Bottine. Avoir les deux pieds dans la même bottine.

Être empoté, niais.

Par opposition, *ne pas avoir les deux pieds dans la même bottine:* être débrouillard, éveillé.

« Le garagiste n'a pas pu réparer ce simple mécanisme, vraiment il avait les deux pieds dans la même bottine. »

Bottines. Ne pas se pisser sur les bottines.

Ne pas manquer de virilité.

Pure description mais imagée d'un état physiologique bien connu. Ainsi, une dame âgée parlant d'un homme: « Je veux bien accepter de le rencontrer en autant qu'il ne se pissera pas sur les bottines. »

Boudin. Faire du boudin.

Bouder.

Simple variation linguistique sur le verbe bouder. « La petite torrieuse a fait du boudin toute la journée. »

Parler des Can. fr.

Bouillie. Canner devant la bouillie qui renverse.

Se défiler devant la difficulté, les problèmes.

Canner se dit de l'action de garnir le fond ou le dossier d'un siège de lanières de rotin ou de cuir entrelacées. Par extension, voudrait dire s'esquiver, se dérober grâce à des faux-fuyants, des « pirouettes ».

« Mais, Jos Violon a pas l'habitude — vous me connaissez — de canner devant la bouillie qui renverse... » — Fréchette, *Contes de Jos Violon.*

Bouquet. Être le bouquet.

Être le point extrême, la dernière extrémité.

Se dit en guise d'exclamation par celui qui est décontenancé devant une situation extrême. S'emploie à la forme impersonnelle. Le bouquet, c'était autrefois la tête d'un arbre ou l'amas de branches liées que l'on mettait, selon une vieille coutume française, au faîte d'un édifice ou d'un bâtiment quand on en avait terminé la construction, coutume charmante d'ailleurs avec laquelle on a de nouveau renoué au terme de la construction récente du complexe Dupuis à Montréal. Ainsi, être le bouquet, c'est être l'extrémité, le point extrême au-delà duquel on ne peut pas aller.

Var. Être la cerise sur le gâteau, le *sundae*, le boute du boute (sic).

Bouquet. Planter le bouquet.

Mettre un terme à un travail.

Allusion à la coutume relatée précédemment et voulant qu'on place un arbre entier ou un bouquet végétal au faîte d'un bâtiment que l'on vient d'achever.

Parler des Can. fr.

Bourreau. Travailler comme un bourreau.

Trimer dur, travailler sans arrêt.

Bourreau qui est dérivé de *bourrer*, verbe qui signifie étymologiquement *maltraiter*, évoque l'idée d'une ardeur peu commune à la tâche; ne dit-on pas aussi un *bourreau de travail?*

Parler des Can. fr.

Bout. Être le bout de la marde.

Être le comble.

« ...le Diable finira dans la peau d'un sénateur, ce qui est bien le bout d'la marde pour le Malin. » — V.-L. Beaulieu, *Manuel de la petite littérature du Québec,* p. 217.

Var. Être le bouquet; être la cerise sur le gâteau; être « too much », (angl.: trop).

P.C. Être la goutte d'eau qui fait déborder le vase.

Bout. Se lever du lit le gros bout le premier.

Se lever en mauvaise forme, de mauvaise humeur.

« Ce matin-là donc, notre curé s'était, comme disent nos campagnards, levé du lit le gros bout le premier. » — Girard, *Marie Calumet.*

Bout. Se lever du mauvais bout.

Être maussade.

Se dit en guise d'explication d'un état de mauvaise humeur patent.

« La mère s'est levée du mauvais bout ce matin, elle est en beau viarge. »

F.C. Se lever du mauvais pied.

Civ. trad.

Boute. Virer boute pour boute (sic).

Faire volte-face.

Boute: bout. Se dit autant au sens moral que physique.

Bouteille. Être porté sur la bouteille.

Aimer s'enivrer, boire.

F.C. Être porté sur la boisson.

Bouteilles. Vendre ses bouteilles.

Faire de l'argent.

Allusion à la vente de bouteilles vides de boissons gazeuses par les enfants afin de se procurer quel-qu'argent de poche, tel que cela se pratiquait et se pratique encore d'ailleurs. S'applique à l'adulte. Euphémisme familier.

Boutons. N'avoir pas inventé les boutons à quatre trous.

N'être pas très intelligent, futé.

Se dit souvent en guise de boutade. Parlant par exemple de celui qui a mal rempli une tâche.

« Il n'a pas inventé les boutons à quatre trous, ce petit Jean Lévesque. »

Var. N'avoir pas mis les pattes aux mouches.

Bouts. Ne pas rejoindre les deux bouts.
Avoir les embarras pécuniaires.
Parler des Can. fr.

Brakes. Boire sur les brakes.
Prendre un verre même si on a peu d'argent.
(« Brakes », angl.: freins.) C'est-à-dire consommer en dépensant le peu d'argent que l'on possède.

Branleux. Être branleux.
Être lambin.
« C'est un maudit branleux, pas moyen de le faire sortir le dimanche. »

Braque. Fou comme braque.
Écervelé, joyeux à l'excès.
Allusion dans la présente comparaison au braque, ce chien de chasse qui sert aussi bien pour l'arrêt que pour la quête et dont l'attitude apparemment folle lorsqu'il est à la recherche du gibier a inspiré la formule. On rencontre cette expression aussi dans le bassin aquitain (France), mais avec le sens d'avoir mauvais caractère, d'être revêche, toqué: *aquet òmi qu'ey drin brac.*
F.C. Fou à lier.

Bras. Ami gros comme le bras.
Amitié juré.

Se dit après coup d'une amitié douteuse, superficielle.

Exagération à dessein dans la comparaison.

« Il m'avait pourtant juré qu'il était mon ami gros comme le bras, ce cochon! »

Parler des Can. fr.

Bras. Avoir le bras long.

Être voleur.

Le sens de l'expression au Québec diffère de celui du français commun; être influent.

« Ce gars avait le bras long, il ne fallait pas le laisser seul une seconde dans la maison car quelque chose alors disparaissait. »

Bretelles. Se faire péter les bretelles.

Se réjouir, se complaire.

Allusion au port des bretelles qui ne se pratique plus guère.

« Le père Bastoque se faisait péter les bretelles chaque fois qu'un pauvre diable se cassait la gueule dans la courbe en face de chez lui. »

Brin-de-fil. Être un brin-de-fil.

Être mince.

Se dit d'une personne maigrelette.

« Cette petite chéti' était un vrai brin-de-fil. »

Litt. orale.

Brin-sur-rien. Être un brin-sur-rien.

Être frêle à l'extrême.

Litt. orale.

Brosse. Être en brosse.

Être dans une soûlade.

L'expression pourrait bien venir de *brosser* qui, dans les parlers gallo-romans, signifie « aller à travers les broussailles », c'est-à-dire plus ou moins par extension, *errer à l'aventure*. On dit aussi « prendre une brosse » pour *se saoûler*. Geoffrion *(Zigzags autour de nos parlers)* rappelle à ce sujet que Rabelais dans son *Pantagruel* emploie le mot *breusse* dans le sens de *coupe de vin, gobelet,* et que dans le patois angevin de jadis, « prendre une breusse » signifiait « prendre un coup, un verre ».

« Le bonhomme toute la journée a été en brosse, soûl comme une botte. »
Parler des Can. fr.

Broue. Péter de la broue.
Parader, se vanter, parler intempestivement, faire de l'esbroufe.
Broue: écume. De celui qui se vante sans raison, on dit par la même occasion que c'est un *péteux de broue.*
F.C. Lancer de la poudre aux yeux.

Broue. Péter une broue.
Dialoguer, converser.
« J'ai juste pété une broue avec cet ancien ami avant de m'en retourner à la maison. »

Bûche. Ronfler comme une bûche.
Ronfler profondément.
Comme la bûche qui est inerte, celui qui ronfle comme une bûche dort d'un sommeil profond.

Var. Dormir comme une bûche.
Parler des Can. fr.

Bûche. Se tirer une bûche.

Prendre place, s'asseoir.

L'expression vient probablement de ce qu'autrefois on se servait souvent d'une bûche en guise de chaise, le mobilier dans certaines maisons de l'époque étant des plus rudimentaires.

« Entre donc, tire-toi une bûche, y'a pas de gêne! »

Bum. Être sur la bum.

Être décadent, défraîchi, disloqué.

(« Bum », angl.: voyou), se dit notamment d'une personne à l'air débraillé. S'utilise aussi pour qualifier certaines choses.

Var. Aller sur la bum.

F.C. Aller à la débandade.

Ça. Lui donner ça.

Donner toute son énergie, tous ses efforts.

Se dit pour marquer l'intensité d'une action, d'un effort.

Cadeau. Ne pas être un cadeau.

Ne pas être facile à acquérir, à supporter.

S'emploie à la forme impersonnelle pour exprimer la difficulté d'acquérir, d'atteindre ou de supporter quelque chose ou quelqu'un. On dit aussi de quelqu'un qu'il n'est pas un cadeau, notamment d'un enfant, quand il est insupportable ou dissipé.

F.C. C'est pas donné.

Cadran. Brasser le cadran à quelqu'un.

Secouer quelqu'un.

Se dit aussi bien au sens moral que physique.

Caleçons. Tourner de côté dans ses caleçons.

Se faire rabrouer.

Ainsi, à un importun, dans la langue populaire:

« Veux-tu tourner de côté dans tes caleçons? Décampe
où je te visse dans le mur! »

Calotte. Faire de la calotte.
Avoir des excès de folie, perdre la tête.
Var. Faire du chapeau.
F.C. Être maboule.

Camp. Sacrer son (le) camp.
Partir.
Dans certaines circonstances, peut avoir une connotation péjorative ou prendre une forme imprécatoire
(« Sacre ton camp! »). Familier: « Il a sacré son camp
sans avertir la famille! » Autrefois, les bûcherons ou
les chasseurs demeuraient dans des cabanes de rondins
appelées *camps* ou *campes* qu'ils abandonnaient souvent à la fin d'une saison, ainsi ils sacraient (laissaient)
le camp là, quitte à s'en fabriquer un nouveau l'année
suivante. Dans la même veine, on dit *sacrer la paix,*
pour *laisser la paix* (à quelqu'un).
F.C. Lever le camp.
Parler des Can. fr.

Canard. Sentir le p'tit canard la patte cassée.
Sentir mauvais.
Formule énigmatique.
Var. Sentir le sauvez-vous.
F.C. Sentir le hareng saur.

Canayen. Se dégourdir le Canayen.
Se dégourdir, se revigorer, se secouer.
Canayens se disait autrefois des gens d'ascendance

française habitant la Nouvelle-France puis subséquemment le Canada. L'extension du sens fait qu'aujourd'hui le mot s'applique à tous les habitants du Canada, quelle que soit leur appartenance linguistique. L'expression a ici légèrement le sens de « prendre un coup, un verre » afin, bien entendu, de se revigorer. « C'est ça qui vous dégourdissait le Canayen, un peu croche! » — Fréchette, *Contes de Jos Violon*, p. 43.

Canayen. Se faire rabattre le Canayen.
Se faire rabrouer.
« Il s'est fait rabattre le Canayen par le professeur suite à son devoir bâclé. »

Canayen. Se mouiller le Canayen.
Boire des boissons enivrantes, se soûler.
Var. Se mouiller les pieds.

Canon. Tirer comme un canon.
Comparaison énigmatique.
Litt. orale.

Canot. Envoyer quelqu'un faire un tour de canot.
Noyer quelqu'un.
Dans le jargon de la pègre québécoise, menace à peine voilée de noyer un gêneur.

Capelan. Maigre comme un capelan.
Maigrichon.
Capelan: petit poisson argenté que l'on pêche sur nos rives; on dit d'ailleurs « le capelan qui roule » parce qu'une fois l'an, des bancs entiers de ce poisson

viennent « rouler » sur les rives du golfe Saint-Laurent, apportant une véritable manne annuelle aux habitants de ces régions. On s'en sert également comme appât pour la pêche à la morue.
Litt. orale.

Capot. Changer son capot de bord.
Changer d'idée, d'allégeance.
Capot: autrefois, pardessus épais d'étoffe ou de fourrure qui allait jusqu'aux genoux. Au Québec, ce mot désigne un paletot à capuchon, jadis fabriqué en étoffe du pays et qui se porte en hiver. Grand manteau, ainsi *capot de chat:* vêtement fabriqué avec la fourrure du chat sauvage. Originellement, terme de marine désignant une pièce de toile protégeant les objets de la pluie; aussi, redingote à capuchon protégeant des intempéries. Étymologiquement, capot (XVIe siècle) est un diminutif de cape (Grandsaignes d'Hauterive, *Dictionnaire d'ancien français,* p. 89). L'expression possède une légère connotation péjorative. Se dit notamment de quelqu'un qui change d'allégeance politique; en effet, l'attitude généralement conservatrice de la population autrefois ne tolérait guère que l'on s'avise de changer de parti. D'ailleurs, de celui qui *change son capot de* bord, on dira que c'est un *vire-capot,* qualificatif peu recherché. Aussi, du religieux qui retourne à l'état civil: « Quand il s'est rendu compte que la vie de moine n'était pas pour lui, il a changé son capot de bord. »
Var. Virer son capot de bord. *(Civ. trad., litt. orale).*

Capot. En avoir plein son capot.

Être exaspéré, à bout de patience.

Le capot est à l'origine un terme de marine désignant une espèce de pardessus ciré muni d'un capuchon et servant à se protéger des embruns; l'expression, littéralement, signifie qu'on en a plein son
pardessus, qu'on ne peut plus en prendre. Se dit à
la toute dernière extrémité morale, à propos d'un
individu ou d'une situation particulièrement pénible.
Var. En avoir plein son casque, avoir son voyage,
avoir son lode (de « load », angl.: charge).

Se dit au point de vue moral, émotif: « J'en ai plein
mon capot de ce petit baveux, je pars! »

F.C. En avoir soupé, ras le bol.

Parler des Can. fr.

Capot. Virer capot.

Devenir fou, perdre la tête.

Se dit de quelqu'un qui a un comportement erratique.
S'emploie aussi parfois dans le sens de « Virer son
capot de bord » (voir ci-dessus).

Caquet. Avoir le caquet bas.

Paraître humilié, être cafardeux.

De quelqu'un qui se fait *rabattre le caquet,* ou rabrouer sa jactance. Se dit également de celui qui *rase
les murs,* qui présente une figure dépitée.

Var. Avoir la fale basse.

Voir **Fale.**

F.C. Avoir la mine déconfite.

Caquet. Se faire rabattre le caquet.

Subir une mortification cuisante.

Se dit de quelqu'un orgueilleux ou vantard que l'on mortifie. Péjoratif. Caquet: onomatopée dont l'apparition se situe au XVe siècle, et dont la racine est caqueter, cri caractéristique de la poule.

« Il s'est vraiment fait rabattre le caquet, ce petit morveux! »

Parler des Can. fr.

Carême. Maigre comme un carême.

Très maigre.

Pendant le carême, on se privait jadis de nourriture, d'où l'expression, plus ou moins pertinente de nos jours cependant, l'observance du carême étant peu pratiquée.

Civ. trad.

Carême.

Voir **Vesse.**

Carpe. Ignorant comme une carpe.

Ignare.

Litt. orale.

Carpe. Silencieux comme une carpe.

Très silencieux.

Se dit de quelqu'un qui garde un silence religieux. Se dirait par exemple pour qualifier un complice qui refuse de révéler les circonstances d'un vol et le nom de son complice.

Carte. Perdre la carte.

Perdre la tête, sombrer dans l'idiotie.

Se dit d'un comportement erratique, pour qualifier une personne qui subitement perd toute notion de la réalité.

Var. Perdre la boule.

Parler des Can. fr.

Cash. Passer au cash.

Subir les conséquences de ses actes, payer son dû. (« Cash », angl.: caisse enregistreuse.) Se dit autant au sens moral que physique. A propos d'une personne qui a commis des actes répréhensibles ou peu recommandables. Curieusement, l'anglais « cash » serait un emprunt d'un vieux mot français, « cache » signifiant « caisse, cassette ».

Cassot. Maigre comme un cassot.

Très maigre.

Cassot: auget, godet allongé servant à recueillir l'eau d'érable. On dit aussi *cassot* pour nommer le *cornet* (de crème glacée). Le cassot est généralement fort mince, d'où sans doute la comparaison.

Var. Maigre comme un chicot (partie inutilisée d'une plante, la tige).

F.C. Maigre comme un clou.

Catholique. Être un(e) catholique à gros grain.

Pratiquer peu sa religion.

Allusion aux grains du chapelet qui séparent les dizaines; ces grains sont plus gros et beaucoup moins

nombreux que les autres donc, cela suppose moins de
prières à réciter, d'où l'expression.

Catholique. N'être pas catholique.
N'être pas honnête.
Ne s'utilise qu'à la forme négative et à l'indicatif.
Dans un pays à majorité catholique, le fait de ne pas
pratiquer sa religion imposait un ostracisme moral;
aussi, pour quelqu'un, n'être pas catholique c'est
posséder en quelque sorte toutes les tares morales, et
s'attirer conséquemment l'opprobe social.

Catouche. Habillé(e) comme catouche.
Mal accoutré(e), habillé(e).
Ainsi, d'une femme enceinte portant des vêtements
inappropriés:
« Elle était habillée comme catouche, cette pauvre
femme. »

Cave. Avoir de l'eau dans sa cave.
Avoir un pantalon trop court.
Se dit quand les jambes du pantalon arrivent aux mol-
lets. Périphrase amusante.

Cela. Être dans le très cela.
Être très bien, atteindre la perfection.
Superlatif.
Var. Être dans le parfait.

Cenne. Gros comme ma cenne.
Minuscule, petit.
Cenne: cent, la plus petite unité de monnaie.
« Ce village, pris entre Sainte-Thècle et Sainte-Ursule,

est gros comme ma cenne et possède quand même son centre commercial. »

Cenne. Ne même pas avoir une cenne (un cent) pour s'acheter La Presse.

Être dans un état de pauvreté extrême.

La Presse: journal à fort tirage qui se vendait autrefois à un prix dérisoire.

« Il n'a même pas une cenne pour s'acheter *La Presse* et il fait quand même son frais. »

Cent watts. Ne pas être une cent watts.

N'être pas intelligent, brillant.

Allusion à une ampoule électrique. Se dit notamment de quelqu'un qui saisit tardivement une idée, une allusion.

Cerise. Se faire péter la cerise.

Se faire tabasser; pour une femme, se faire déflorer.

On dit aussi « péter la cerise à quelqu'un » pour « lui casser la gueule ».

F.C. Se faire régler son compte.

Cerveau. Avoir une craque au cerveau.

Être stupide.

Dépréciatif. Se dit notamment en boutade.

« Ti-Jean avait une craque au cerveau, il s'est promené la tête en bas toute la soirée. »

F.C. Avoir une tête fêlée, un cerveau fêlé.

Parler des Can. fr.

Cervelle. Avoir une cervelle d'oiseau.

Être frivole, sans profondeur.

Se dit surtout d'une femme superficielle, écervelée.

Chair. Avoir la chair de poule.

Avoir très peur, avoir le frisson.

« J'ai eu la chair de poule, la voiture est passée à un poil de moi et elle m'a évité de justesse. »

Parler des Can. fr.

Chaise-longue. Ta matière grise fait de la chaise-longue.

Se dit à quelqu'un qui n'est pas très intelligent, très brillant. Boutade familière.

Chaises. Se trouver assis entre deux chaises.

Être dans un dilemme.

Parler des Can. fr.

Chameau. Avoir l'air chameau.

Avoir l'air fou, être dégingandé.

Se dit notamment d'une femme, ou encore de quelqu'un qui a des membres disproportionnés par rapport à son corps. Par extension, de celui qui n'a pas une apparence esthétique.

Chance. Avoir plus de chance qu'un quêteux.

Être très chanceux.

Allusion à la croyance populaire voulant que le quêteux fût très chanceux; ainsi, afin de se pourvoir à son tour de cette qualité du quêteux, il suffisait de lui offrir l'hospitalité ou encore de lui toucher.

Parler des Can. fr.

Chandelle. Passer comme une chandelle.

Mourir imperceptiblement.

Comme le mourant passe de vie à trépas quasi imperceptiblement, la bougie s'éteint sans que l'on s'en aperçoive.

Chandelle. Devoir une chandelle à Sainte-Anne.

Devoir des remerciements à Sainte-Anne.

Procède de la coutume religieuse qui veut qu'en signe de reconnaissance, on fasse brûler un lampion (une chandelle) à l'église, en l'honneur de la sainte.

F.C. Devoir une fière chandelle.

Parler des Can. fr.

Chapeau. Faire du chapeau.

Être idiot.

Allusion à une chapellerie qui existait autrefois à Montréal et qui utilisait des produits toxiques dans ses opérations, produits qui occasionnèrent chez ceux qui portèrent des chapeaux de cette fabrique, plusieurs cas de folie, d'où naturellement l'expression.

F.C. Travailler du chapeau.

Chapeau. Parler à travers son chapeau.

Parler à tort et à travers.

Civ. trad.

Charbon. Noir comme un charbon.

Très noir, obscur.

Var. Noir comme du charbon.

Litt. orale.

Charlot. Prendre un charlot.

Prendre un coup, un verre.

Assez curieusement, autrefois on désignait sous le nom de *Charlot* le diable, satan; en France, c'est le nom familier du bourreau. Il est curieux de constater comme le fait de prendre une boisson alcoolique est associé au satanisme dans cette locution.

Charrette. Être magané de la charrette.

Être fatigué, harassé, courbaturé.

Parlant de l'état de prostration causé par une grande fatigue physique. Se dit notamment d'un individu au corps affaibli.

Voir: **Boghei.**

Charrue. Mettre la charrue avant le cheval.

Brûler les étapes, commencer par la fin.

Var. Mettre la charrue devant les bœufs.

« Ti-Gus voulait mettre la charrue avant le cheval, il n'avait pas encore acheté le terrain qu'il voulait déjà le revendre. »

Chars. Ne pas être les chars.

N'être pas extraordinaire, remarquable.

Char (« car », angl.: wagon de chemin de fer). Anciennement, les locomotives à vapeur constituaient le critère commun du superlatif, d'où cette expression.

« Ce mariage, ce n'était pas les chars. »

F.C. Ne pas être le Pérou.

Parler des Can. fr.

Chars. Aller comme les chars.

Aller rondement, avec ponctualité.

Les *chars*, chez nous, ont toujours eu une excellente réputation de ponctualité au contraire de ceux d'Italie, par exemple.

« Le bingo du jeudi soir, ma chère, mais ça va toujours comme les chars. »

Parler des Can. fr.

Chasse. Faire la chasse avec un fusil pas de plaque.

S'imposer là où on n'est pas le bienvenu.
Parler des Can. fr.

Chat. Avoir un chat dans la gorge.

Être enroué.

Chat. Lâcher la queue du chat.

Devenir parrain ou marraine une première fois.
L'événement dont il est question ici marque le passage de l'enfance à la vie adulte. Comme le chat qu'on lâche, la personne peut alors être laissée à elle-même, étant assez mature.
Parler des Can. fr.
Civ. trad.

Chat. Pas un chat.

Personne.
« Il n'y avait pas un chat dans la maison quand on est arrivé samedi soir. »
F.C. Pas âme qui vive.

Chat. Sournois comme un chat.

Sournois à l'extrême.
Se dit d'une personne dont les gestes sont imprévisibles, dont on doit se méfier.

Chat. Vif comme un chat.

Très vif, agile.
Litt. orale.

Chatte. Être chatte.

Être caressante.
Se dit d'une femme flatteuse, affectueuse.

Chatte. Inquiet comme une chatte qui pisse dans le son.

Très inquiet.

Il faudrait savoir si l'observation qui est à la base de cette comparaison, est véridique. Quoi qu'il en soit, on ne l'entend plus guère.

Parler des Can. fr.

Chaudasse. Être chaudasse.

Être un peu soûl.

Atténuatif d'*être soûl*.

« Ce petit baveux, même s'il était chaudasse, n'avait pas d'affaire à venir me barber. »

Chemins. Courir les chemins.

Vagabonder à la recherche d'aventures galantes.

Veut dire aussi « errer » au sens littéral du mot.

Var. Courir la galipote.

F.C. Courir la prétentaine, le guilledou.

Parler des Can. fr.

Chenille à poils. Avoir l'air d'une chenille à poils.

Être laid, desséché.

Var. Laid comme une chenille à poils.

Civ. trad.

Chercher. Chercher quelqu'un.

Chercher à faire fâcher quelqu'un, à le mettre en colère.

« Tu me cherches, me voici, à c't'heure parle! »

Cheval. Dur comme du cheval.

Très dur, coriace.

Se dit d'une viande particulièrement coriace. Comparaison dont la véracité est douteuse. La mauvaise réputation qu'a la viande de cet animal vient du fait qu'autrefois on utilisait parfois des cheveaux de trait pour la consommation. Le cheval, bien apprêté, est aussi tendre que le bœuf.

Var. Dur comme de la semelle de botte.

Cheval. En cheval.

Locution adverbiale marquant l'intensité.

« Elle est belle en cheval, cette maison! »

Cheval. Être à cheval.

Être dans un dilemme.

« J'suis à cheval entre ma blonde et ma sœur qui ne s'entendent pas du tout. »

Cheval. Être à cheval sur quelque chose.

Tenir à quelque chose.

Se dit au sens moral.

« La vieille était tellement à cheval sur les principes qu'elle a jeté son fils dehors, qui ne voulait pas aller à la messe. »

Var. Tenir mordicus à quelque chose.

Cheval. Être crampé comme un cheval.

Rire beaucoup, aux éclats, à en attraper des crampes.

« Cette blague m'a fait cramper comme un cheval. »

Cheval. Fort comme un cheval.

Très fort.

« Jos Monferrant était fort comme un cheval. »

Var. Fort comme un bœuf.

F.C. Fort de la halle.

Parler des Can. fr.

Cheval. Habillé comme un cheval de quatre piastres.

Bien mis, bien habillé, habillé avec recherche.

Exagération amusante qui marque une certaine dérision. Un cheval de quatre piastres, en effet, cela ne se voit plus guère bien qu'il était de coutume autrefois chez les maquignons désirant se débarrasser d'une « picouille », d'un cheval de quatre piastres, de maquiller si bien la bête et de la rendre si attrayante qu'elle trouvait rapidement preneur, d'où l'expression.

Cheval. Menteur comme un cheval.

Très menteur.

Autrefois, les maquignons désirant vendre un mauvais cheval n'hésitaient pas à maquiller ses défauts par toutes sortes de subterfuges et même à mentir sur les qualités douteuses des bêtes d'où, sans doute, le qualificatif qui par rapprochement a été dévolu au cheval.

Chevaux. Monter sur ses grands chevaux.

Se laisser emporter par la colère.

Chevaux. Parler aux chevaux comme un forgeron.

Parler familièrement aux chevaux, se faire obéir d'eux.

Les forgerons, en contact quotidien avec les chevaux, se faisaient fort de leur parler d'un ton doux, pour les calmer sans élever la voix, d'où la présente comraison.

Le Forgeron.

Cheveu. Arriver comme un cheveu sur la soupe.

Arriver à l'improviste.

Comme le cheveu qui glisse inopinément sur la soupe,

la personne qui arrive à l'improviste risque d'être mal accueillie.

« L'oncle Alfred est arrivé comme un cheveu sur la soupe; imaginez la réception! »
Parler des Can. fr.
Civ. trad.

Cheveu. Fendre un cheveu en quatre.

Pointilleux, d'une rigueur exaspérante.

« Il était tellement près de ses sous qu'il pouvait fendre les cheveux en quatre lorsqu'il s'agissait des comptes de dépense. »
Var. Couper un cheveu en quatre.

Cheveux. Jouer dans les cheveux de quelqu'un.

Jouer un vilain tour, un coup bas.

On dira aussi: *se faire jouer dans les cheveux*, pour se faire amadouer, enjôler.

Chèvre. Courir la chèvre.

Courir les femmes.

Se dit d'un homme qui apprécie beaucoup la gent féminine.
Île Verte.

Chicot. Maigre comme un chicot.

Très maigre.

Chicot: reste d'une plante brisée ou coupée, trognon. La comparaison se rapporte à l'aspect chétif, dérisoire, d'une personne.

« Il était maigre comme un chicot, ayant dû jeûner deux semaines complètes. »
Parler des Can. fr.

Chien. Avoir du chien.

Être rusé, astucieux, avoir de l'allant, être espiègle. (D'un enfant.)

Var. Avoir du chien dans le corps *(Gloss. du parler fr. au Canada).* Avoir du chien dedans.

Chien. Avoir une mémoire de chien.

Posséder une mémoire phénoménale, remarquable. Selon une croyance commune, tous les animaux, entre autres, le singe et le chien, possèdent une mémoire remarquable.

Var. Avoir une mémoire de singe.

F.C. Avoir une mémoire d'éléphant.

Parler des Can. fr.

Chien. De chien.

Considérable, remarquable.

Superlatif. Ainsi: *avoir un talent de chien,* un talent considérable.

Chien. Donner un chien de sa chienne à quelqu'un.

Apostropher, se venger de quelqu'un, promettre une revanche.

Se dit dans un moment de colère. Dans un ordre d'idée différent, la chienne désignait autrefois un petit banc ou selle de trois pieds dont on se servait dans les chantiers. Synonyme de coup bas, de vilenie.

« Lui, ce maudit, je vais lui donner un chien de ma chienne. »

Var. Promettre un chien de sa chienne à quelqu'un, lui apporter un chien de sa chienne, lui servir un chien de sa chienne.

F.C. Garder à quelqu'un un chien de sa chienne.

Chien. Entre chien et loup.

À la brunante.

A l'origine, pour dire que la clarté décroissante ne permet pas de distinguer un chien d'un loup.

Chien. Être chien.

Être salaud, impitoyable.

Péjoratif. On désigne par ce nom ce que l'on méprise, à tort ou à raison. Un policier: un chien (méprisant). *Var.* (Faire le « dog », angl.: chien) (dans le jargon de la jeunesse).

Chien. Être chien de poche.

Suivre continuellement autrui.

Notamment à propos d'un enfant qui est toujours aux trousses de ses parents, de ses camarades. Comme le chien de poche qui suit son maître partout, le suiveur qui nous colle aux talons est toujours exaspérant.

« Jacques ne nous lâchait pas d'une semelle, un vrai chien de poche. »

Chien. Être chien en culotte.

Être peureux, couard.

Var. Être pissou, chienne.

Chien. Faire noces de chien.

Se marier pour la seule satisfaction des sens.

Pierre-Georges Roy, « Nos coutumes et nos traditions françaises », *Les Cahiers des Dix,* no 4, 1939, p. 88.

Chien. Foquer le chien.

Tourner en rond, perdre son temps, feindre de travailler.

Péjoratif. Foquer (« fuck », ang.), mot à connotation sexuelle.

« Il a foqué le chien toute la journée dans ce moteur qui n'a jamais démarré. »

Var. Focailler le chien.

Chien. Froid à couper un chien en deux.

Froid intense.

Exagération amusante.

Var. Froid sibérien, froid à couper les chiens en deux.

Chien. Malade comme un chien.

Très malade.

Ceux qui connaissent les mœurs canines ne sont pas sans savoir que les chiens mangent occasionnellement de l'herbe, vomissent par après, d'où l'expression. *Litt. orale.*

Chien. Marcher comme un chien qui va à vêpres.

Aller à contrecœur.

Les vêpres étaient fort longues et élaborées, c'est la raison pour laquelle aller aux vêpres était souvent perçu par les fidèles comme une activité fastidieuse à laquelle on participait à contrecœur. Se dit de quelqu'un qui agit en se traînant les pieds, où à reculons.

Chien. Ne pas valoir les quatre fers d'un chien.

Ne pas valoir grand-chose.

« ... je vous dirai que toute sa gueuse de carcasse, son âme avec, valait pas, sus vot'respèque, les quat'

fers d'un chien. » — Fréchette, *Contes de Jos Violon,*
p. 39.

Chien. Noir comme chez le chien.
Très obscur.
« Il fait noir comme chez le chien dans ta cave, on
ne voit pas à deux pas. »
Var. Noir comme chez le loup, noir comme chez le
diable.

Chien. Son chien est mort.
Sa chance l'a abandonné, l'entreprise a échoué.
Sous forme d'apostrophe, pour dire que la chance a
quitté quelqu'un. N'oublions pas que chez plusieurs
peuples, le chien est censé porter chance à son
maître. Chez nous, la croyance populaire accorde
un certain pouvoir, faste ou néfaste, au chien.
Parler des Can. fr.

Chien. Tourner en jeu de chien.
Se dit à propos d'un jeu qui tourne à la violence.
« Leurs taquineries tournèrent vite en jeu de chien,
ils se sont vite pris aux poings. »
F.C. Tourner au vinaigre.
Parler des Can. fr.

Chien. Tuer son chien.
Perdre tout espoir.
La tradition populaire discerne dans le fait de tuer
son chien un acte qui porte malchance, d'où, sans
doute, la formule. On dira aussi de quelqu'un que *son
chien est mort* pour souligner que tout espoir lui est

désormais interdit. Le chien, symboliquement, est psychopompe c'est-à-dire « gardien de l'âme après la mort », *tuer son chien* c'est donc perdre son âme et par conséquent son essence même et se couper de toute possibilité de rachat moral.

Chien. Voir **Queue.**

Chienne. Avoir de la misère à porter sa chienne.
Être paresseux à l'extrême.
Se dit notamment de celui qui travaille lentement et avec répugnance. Chienne: salopette, bleu de travail.
Parler des Can. fr.

Chienne. Avoir la chienne.
Avoir peur.

Chienne. Être chienne.
Être peureux, couard.
Par opposition, *être chien* c'est être salaud.
« Il était bien trop chienne pour aller devant l'assemblée qui le huait. »
Var. Être chieux.

Chienne. Habillé comme la chienne à Jacques.
Mal habillé.
Familier.
« La mère Bouffard était habillée comme la chienne à Jacques. Le chapeau tout de travers et les bas ravalés. »
Var. Attriqué comme la chienne à Jacques, attelé comme la chienne à Jacques.

Chienne. Mettre la chienne dehors.

Se retirer.

Se dit au cours d'une partie de cartes par l'équipe gagnante qui invite ainsi les perdants à se retirer et une autre équipe à la remplacer. Allusion à la pratique courante qui est d'envoyer la chienne ou le chien à l'extérieur pour la nuit.

Chiens. Dehors les chiens pas de médaille.

Dehors les faux frères.

Se dit pour renvoyer les indésirables d'un groupe, d'une réunion quelconque. Parfois comme boutade. *Chiens pas de médaille* s'emploie pour désigner ceux qui n'ont aucune accréditation donc aucun droit au chapitre.

Chiens. Faire si froid que les chiens se réchauffent à trembler.

Faire très froid.

Exagération qui frise le comique. On dit, des chiens qui frissonnent par temps très froid, qu'ils se réchauffent à trembler.

Chiens. Se regarder comme des chiens de faïence.

S'observer avec méfiance, circonspection.

Chez nous les bibelots étaient la plupart du temps de plâtre, ceux de faïence devant être importés. Se regarder comme des bibelots sur une cheminée, l'un en face de l'autre.

Var. Se regarder comme des chiens de plâtre.

Parler des Can. fr.

Chiens. Si pauvre que les chiens jappent après la lune qu'ils prennent pour une galette de sarrazin.

Pauvre à l'extrême.
Se dit d'un individu souffrant de pauvreté.
Var. Si pauvre que les chiens s'accotent armant (sic)
la clôture pour japper.
Parler des Can. fr.

Chiens. Vent à couper les chiens en deux.
Vent violent.

Chignon. Avoir quelque chose dans le chignon.
Avoir une idée de derrière la tête.
Le chignon, c'est la partie des cheveux retroussés
derrière la tête ou relevés sur le dessus. Se dit d'une
idée ou d'un sentiment que l'on soupçonne chez
quelqu'un.
Parler des Can. fr.

Chiotte. Faire la chiotte.
Ne pas avoir d'enfant, même mariée.
Se dit d'une femme.
Var. Faire la vilaine.
Île Verte.

Chique. Ne pas valoir une chique.
Ne pas valoir grand-chose, être faiblard.
Se dit autant au sens moral que physique. Chique:
quantité d'une substance que l'on met dans la bouche
pour la mâcher; chique de gomme, chique de tabac.

Chire. Prendre une chire.
Dégringoler, culbuter, fuir.
S'emploie autant au sens moral que physique. En
langage maritime, *chirer* signifie faire une embardée.

« Il a pris une chire quand il est tombé dans le ravin. »
Var. Prendre une carpiche, une fouille.
Parler des Can. fr.

Chose. Avoir quelque chose qui le gruge.
Être rongé par le souci.
Litt. orale.

Christ. Maigre comme un Christ.
Maigrichon.
La spécificité de la comparaison est douteuse. On dira par exemple aussi bien *mauvais comme un Christ* que *peureux comme un Christ*. *Christ* est un mot que l'on peut adjoindre à n'importe quel qualificatif.
Parler des Can. fr.

Citron. Jaune comme un citron.
Très jaune.
Se dit d'un individu au teint jaunâtre.
Civ. trad.
Litt. orale.

Citrouille. Rond comme une citrouille.
Ivre mort.
Être rond, c'est tituber, culbuter comme un objet rond roule de gauche à droite, en tout sens.
Litt. orale.

Claque. Donner la claque.
Faire un effort, donner tout l'effort qu'on peut.
Formule d'encouragement souvent proférée à l'endroit d'autrui. Procède de *claque*, coup porté du plat de la main. Par extension. S'emploie à l'impératif en s'adressant à quelqu'un, afin de l'encourager.

Claque. Manger sa claque.

Essuyer la défaite.

Se dit autant au sens moral que physique.

Claques. Checker ses claques (sic).

User de prudence, de circonspection.

Se dit pour inviter quelqu'un à la prudence. S'emploie à l'impératif. Claques: couvre-chaussures de caoutchouc. (« Checker », angl.: vérifier.) *Checker ses claques* c'est mesurer chaque pas que l'on fait afin qu'il ne nous arrive aucun malheur.

« Check tes claques, on va sûrement essayer de te faire voter en faveur du maire aspirant. »

Claques. Ôter ses claques puis (et) arriver en ville.

Se déniaiser, se dégourdir moralement, se mettre enfin à comprendre.

A quelqu'un qui ne semble pas comprendre ce qu'on lui dit. Marque l'impatience, l'exaspération. S'emploie à la forme impérative. A l'endroit de celui qui est benêt, empêtré, qui a « les deux pieds dans la même bottine ».

Clos. Prendre le clos.

Faire une embardée.

Se dit d'une automobile ou d'une voiture dont le conducteur perd le contrôle et qui sort de la route. Clos: pâturage, pacage.

Var. Prendre le champ.

Clôture. Regarder par-dessus la clôture.

Envier autrui.

« Toute sa vie il a regardé par-dessus la clôture et il est mort pauvre comme la gale. »
F.C. Jeter des regards d'envie.
Parler des Can. fr.

Clôture. Se tenir sur la clôture.
Se tenir en attente, hésiter, être indécis.
Se tenir sur la clôture, c'est hésiter avant de prendre une décision définitive entre deux partis. Péjoratif. Se dit notamment d'un « patroneux » d'élection qui attend son cachet avant d'accorder son adhésion.
« Au bureau de votation, il se tenait sur la clôture, attendant le retour de son contact. »
Parler des Can. fr.

Clou. Maigre comme un clou.
Très maigre.
« Mlle Tartampion était maigre comme un clou, elle n'avait plus que la peau et les os. »
Var. Maigre comme un Christ.

Clou. Ne pas valoir un clou.
Être de peu de valeur.
Se dit particulièrement de la faiblesse physique.
Civ. trad.
Voir: **Chique.**

Clous. Un froid à fendre les clous.
Un froid intense.
« La surface de l'eau était glacée, il faisait un froid à fendre les clous. »
Var. Un froid à arracher les clous.

Parler des Can. fr.
F.C. Un froid de canard.

Coche. En payer une coche.
Payer beaucoup, cher.
Coche: entaille faite dans un corps solide.
« Après le procès qu'il a d'ailleurs perdu, il en a payé une coche à sa femme divorcée. »
Var. En payer un coup.

Coche. Être à côté de la coche.
Errer (moralement), se tromper, être un peu idiot.
Péjoratif. Se dit notamment de quelqu'un qui se « trompe royalement ».

Cochon. Boire comme un cochon.
S'enivrer facilement, boire de façon démesurée.
Péjoratif.
« L'oncle Alfred a bu comme un cochon, on l'a retrouvé ivre mort sous une table le lendemain matin. »

Cochon. Faire un coup de cochon.
Tromper, faire une traîtrise.
Le cochon, animal injustement méprisé chez nous, est très souvent le sujet de locutions à caractère péjoratif. On dit aussi *se faire faire un coup de cochon* pour *être victime d'une traîtrise.*
« Mon voisin m'a fait un coup de cochon que je lui revaudrai sûrement. »
F.C. Porter un coup bas.

Cochon. Sale comme un cochon.

Très sale, crotté.

« Quand il est revenu de dehors, le petit Gérard était sale comme un cochon. »

Cochon. Soûl comme un cochon.

Très ivre.

« Pauvre Athanase, soûl comme un cochon, il gueulait encore. »

F.C. Ivre mort.

Parler des Can. fr.

Cochons. Amis comme cochons.

D'une amitié indéfectible.

Se dit d'amis inséparables. S'emploie en France dans le sens de complices.

« Ils étaient amis comme cochons avant cette brouille d'héritage. »

F.C. Être copains comme cochons.

Cochons. Ne pas avoir gardé les cochons ensemble.

Ne pas être lié d'amitié.

Marque le dédain. Se dit à celui qui est d'une familiarité proprement déplacée, pour souligner l'obligation d'user de déférence.

Coco. Faire sauter le coco à quelqu'un.

Faire décamper quelqu'un, lui donner une râclée.

Coco dans le présent sens est synonyme de *tête;* *faire sauter le coco à quelqu'un,* c'est donc littéralement lui faire sauter la tête, autrement dit le balancer, l'éjecter en argot français, lui signifier qu'il n'est plus désiré.

« Le père Labrosse a fait sauter le coco à Ti-Paul qu'il n'aimait pas. »

Codinde. Seul comme un codinde.

Très seul, solitaire.

Dépréciatif. Codinde (ou coq-d'Inde) se dit en parlant d'un imbécile, d'un naïf (Clapin, *Dict. canadien-français);* ce sens se rapproche de celui exprimé dans la présente comparaison.

« Il était seul comme un codinde dans son coin à faire son petit travail. »

Cœur. Avoir le cœur plus gros qu'on est gros.

Avoir grand cœur.

Se dit d'un individu d'une bonté sans bornes.

Cœur. Avoir le cœur où les poules ont l'œuf.

Être sans cœur.

« Aucune pitié chez elle, elle a le cœur où les poules ont l'œuf. »

F.C. Avoir un cœur de pierre.

Trésor ds montagne.

Cœur. Faire lever le cœur.

Dégoûter.

« Ce poisson avarié m'a fait lever le cœur. »

F.C. Soulever le cœur.

Parler des Can. fr.

Cœur. Rire comme un cœur.

Avoir un sourire angélique.

« La petite Lucie riait comme un cœur chaque fois que son père la taquinait. »

Civ. trad.

Cœur. Rire de bon cœur.

Rire volontiers.

Civ. trad.

Collé. En avoir de collé.

Posséder beaucoup d'argent, être riche.

Euphémisme familier.

« Depuis qu'il a reçu cet héritage, il en a de collé, on peut dire. »

Collier. Prendre le collier.

Se mettre à la tâche, au travail.

F.C. Reprendre le collier.

Comète. Battre la comète.

Être au-dessus de tout, impressionnant.

La comète, c'est la grande comète de 1882, dite comète de Cruls car elle fut aperçue la première fois par M. Cruls de Rio de Janeiro au Brésil. On aperçut sa longue queue longtemps après son passage dans le firmament québécois et elle frappa à ce point l'imagination populaire qu'on en fit une formule exclamative. D'ailleurs un opuscule fut publié à son sujet, ce qui illustre bien son importance (A.M.: *La grande comète de 1882*, J.N. Duquet, éditeur, Québec, 1882).

Voir: **AS**.

Compas. Avoir le compas dans l'œil.

Être d'une précision remarquable.

Se dit d'un ouvrier qui travaille de façon très précise, *à l'œil*, sans l'aide d'un instrument de mesure.

Comprenure. Être dur de comprenure.

Avoir de la difficulté à comprendre, à saisir.

Se dit autant au sens moral que physique.

« Ti-Bi est dur de comprenure, il faut lui répéter cinq fois la même chose. »

F.C. Être dur d'oreille.

Comprenure. N'avoir pas grand comprenure.

Être borné.

« Le fils de la mère Richard n'a pas grand comprenure, il revient toujours malgré mon interdiction de pénétrer dans la maison. »

Parler des Can. fr.

Coq. Avoir le coq à terre.

Avoir l'air fatigué, harassé, dépité.

« Après sa journée de travail, il revenait toujours le coq à terre. »

Var. Avoir la fale basse.

Coq. Batailleur comme un coq.

Très batailleur.

Descriptif. Se dit notamment d'un enfant.

Coq. Chanter le coq.

Crier victoire, parader.

Il s'agit souvent d'une habitude mâle qui consiste à parader, à faire son beau afin de séduire la femelle.

Var. Faire le coq, faire son jars, faire son beau.

Coq. Faire son petit coq.

Vouloir en imposer.

Se dit de celui, d'un jeune surtout, qui veut en montrer

à plus sage ou plus âgé que lui. Petit coq: interpellation habituelle pour un jeune garçon *(Gloss. du parler fr.)*.
Var. Faire son frappe-à-barre.
F.C. Être le coq du village.
Parler des Can. fr.
Voir: **Jean Lévesque.**

Coq. Rouge comme un coq.
Rouge de colère, de rage.
Descriptif.
« Il était tellement fâché qu'il est devenu rouge comme un coq. »
F.C. Rouge de colère.

Coq en pâte. Être un coq en pâte.
Être gâté à l'extrême, jouir d'un grand confort.
Se dit notamment d'un époux gâté à l'excès par sa femme.
« Sa femme lui apportait ses pantoufles chaque soir, un vrai coq en pâte. »
Var. Être comme un coq en pâte.

Coquille. Sortir de sa coquille.
Sortir de sa gêne, de son mutisme, s'extérioriser.
Ainsi, à un jeune introverti: « Sors donc de ta coquille et va jouer avec tes petits camarades. »

Coran. Ne pas être fort sur le Coran.
Être ignare, ne pas comprendre grand-chose.
Il est étonnant de voir citer le Coran là où apparemment ce livre sacré est peu connu. L'origine de cette

expression est obscure. Peut-être veut-on dire précisément que ne pas connaître le Coran est l'indice d'une culture peu étendue.

F.C. Ne pas être fort en thème.

Parler des Can. fr.

Corbeau. Être noir comme un corbeau.

Très noir.

Se dit notamment d'une personne sale ou ayant les cheveux très noirs.

Civ. trad.

Corde. Chercher la corde à tourner le vent.

Désirer l'impossible.

Se dit pour mystifier un enfant. Jeu de mots anodin et insensé qui illustre l'inanité d'une suggestion. On dira parfois dans le même sens: « Va donc voir dehors si j'y suis. »

« Petit, va donc chercher la corde à tourner le vent. » S'apparente à la fameuse coutume du « poisson d'avril ».

Var. Chercher la corde à virer le vent.

Gloss. du parler fr.

Parler des Can. fr.

Corde. Se mettre la corde au cou.

Se marier, se mettre dans une mauvaise situation.
Se dit notamment sous forme de boutade par rapport à celui ou celle qui s'engage dans le mariage. Il existe une coutume populaire relative à l'enterrement de vie de garçon, coutume dans laquelle le malheureux futur marié est exposé dans une voiture, attaché à

(ill. 3)

une potence, symbolisant le fait qu'il se *met la corde au cou*.

« Pauvre diable, il s'est mis la corde au cou ce matin. »

Parler des Can. fr.

Corde. Tourner la corde avant d'avoir le veau.

Brûler les étapes.

D'après un proverbe bien connu: « Il ne faut pas tourner la corde avant d'avoir le veau. »

Corde à linge. Passer la nuit sur la corde à linge.

Passer la nuit debout.

Se dit de quelqu'un qui n'a pas l'air dans son assiette suite à une nuit agitée ou à une nuit passée dehors, à « courir la galipote ».

Corde de poche. Raide comme de la corde de poche.

Dressé, rebelle.

Se dit particulièrement des cheveux. Allusion à la corde de chanvre avec laquelle on attachait autrefois les ballots.

« La petite a les cheveux raides comme de la corde de poche, pas moyen de les friser. »

Var. Raide comme des (les) clous.

Cordeaux. A deux mains dans les cordeaux.

Rétif, fringant.

Se dit notamment d'un cheval fringant, qu'il faut retenir de toute la force de ses deux mains agrippés dans les guides ou cordeaux.

« Il avait un cheval à deux mains dans les cordeaux,
rétif comme une jeune créature. »
Fantastique de la Beauce.

Cordeaux. Garder les cordeaux.
Garder le contrôle, l'autorité.
Se dit notamment de l'époux qui ne s'en laisse
pas imposer par sa femme. Cordeaux: guides, lanières
de cuir qui servent à conduire les chevaux.
F.C. Porter la culotte.

Cordons. Porter les cordons du poêle.
Porter l'un des quatre coins d'un cercueil.
Référence aux quatre poignées qui servaient à soutenir
le cercueil, faites chacune d'un câble dont les deux
extrémités passaient à travers deux trous pratiqués
à travers celui-ci et ce, aux quatre coins.

Corneille. Chanter comme une corneille.
Chanter faux.
« Il a été accepté dans la chorale, même s'il chantait
comme une corneille. »
Litt. orale.

Corneille. Noire comme une corneille.
Très noire.
Se dit d'une personne aux cheveux très noirs.
Voir: **Charbon.**

Corneilles. Bayer aux corneilles.
Bayer au vu et au su de tous, ostensiblement.
Se dit aussi de celui qui lève la tête et se met à bâiller

sans mettre la main devant la bouche, de sorte qu'il semble appeler les corneilles.

F.C. Gober les mouches.

Cornichon. Avoir l'air d'un cornichon salé.

Avoir l'air niais.

« Il avait l'air d'un vrai cornichon salé avec sa tuque qu'il portait de travers. »

Civ. trad.

Corps. Être un corps sans âme.

Se dit d'une entreprise où règne l'anonymat. Péjoratif. Ne s'utilise pas pour désigner un individu.

Corps. Se tenir le corps raide et les oreilles molles.

Se tenir au garde-à-vous, à l'attention.

Familier.

Côté. Être sur l'autre côté.

Être enceinte.

Être sur l'autre côté, c'est être à part de la communauté, des autres, de par son apparence extérieure.

Var. Être en famille, être pleine.

Côtes. Avoir les côtes sur le long.

Être maigre.

S'emploie dans certaines régions pour désigner exclusivement la maigreur animale. Le *Glossaire du parler français* donne un autre sens, soit celui d'être paresseux.

F.C. Avoir les côtes en long. (Souffrir de paresse.)

Parler des Can. fr.

Côtes. Lui voir les côtes d'un arpent.

Être d'une maigreur excessive.

Se dit notamment des animaux.

« Quelle pitié, on peut voir les côtes de la vache à Joseph d'un arpent. »

Parler des Can. fr.

Côtes. N'en avoir pas épais sur les côtes.

Être maigre.

Euphémisme issu de l'observation.

« Pauvre Ti-cul Labrosse, il n'en avait pas épais sur les côtes, il avait trop jeûné. »

Var. Avoir les côtes comme une planche à laver.

Gloss. du parler fr.

Parler des Can. fr.

Coton. Aller au coton.

Aller au maximum de vitesse, de puissance.

Coton. Être au coton.

Être à bout de forces.

Allusion à la tige d'une plante, à sa partie inutilisable; ainsi *être au coton* c'est avoir tout dépensé son énergie et être rendu à l'extrémité de ses forces, au coton, en parlant de façon imagée.

Var. Être rendu au coton.

Couenne. Avoir la couenne dure.

Être coriace, entêté, aguerri.

Couenne: peau du porc, flambée et râclée, qui devient très dure. Se dit autant par rapport au moral qu'au physique. S'emploie notamment à l'égard d'un adversaire politique.

« On peut dire qu'il a la couenne dure celui-là, pas moyen de lui faire entendre raison. »
Civ. trad.
Litt. orale.
Parler des Can. fr.

Couenne. Avoir la couenne épaisse.
Être insensible, grossier.
Hormis son sens habituel, la couenne se dit d'une terre inoccupée, jonchée de racines et de débris.
Parler des Can. fr.

Couenne. Se faire chauffer la couenne.
Recevoir la bastonnade de ses parents; se faire bronzer au soleil.
« Attends d'être de retour à la maison, je te dis que tu vas te faire chauffer la couenne par papa. »

Couleurs. En voir de toutes les couleurs.
Éprouver beaucoup de difficultés.
Se dit par rapport à une suite ininterrompue de revers et de difficultés de toutes sortes.

Coup. Marcher à coups de pieds.
Fonctionner à force de coups.
Ne s'emploie guère que pour des objets. Ainsi, *c'est une voiture qui marche à coups de pieds* ou *c'est une voiture à coups de pieds*, déglinguée, qui ne fonctionne plus que par contrainte.

Coup de vent. Se déguiser en coup de vent.
Fuir précipitamment.

« Quand il a vu le curé, il a eu tellement peur qu'il s'est déguisé en coup de vent. »
Var. Se déguiser en courant d'air.

Coupe. Ne pas tenir sa coupe.
Se décourager pour peu.
Originellement, la coupe, c'est le tranchant d'une lame. Ne pas tenir sa coupe, s'émousser rapidement; d'où par extension l'idée qui veut que de ne pas tenir sa coupe, c'est manquer de courage à la suite de la plus petite contrariété.
Parler des Can. fr.

Course. Aller à la fine course.
Aller à toute vitesse.
Litt. orale.

Court. Cracher court.
Être ivre.
Dérive d'une observation commune, à savoir que la personne ivre éprouve de la difficulté à saliver.
« Ti-Jos, qui titubait, crachait court après la fête. »
Parler des Can. fr.

Court. Piquer au plus court.
Résumer, prendre le chemin le plus court.
Se dit autant au sens moral que physique.
« Ce qui fait, pour piquer au plus court, que tout le monde avait commencé par dire le p'tit ange à Johnny Morissette... » — Fréchette, *Contes de Jos Violon*, p. 27.

Couteau. Brume à couper au couteau.

Brume très épaisse, opaque.

Île Verte.

Couteau. Passer par le couteau.

Subir une opération chirurgicale.

Passer par le couteau, c'est être coupé, tailladé, comme cela se produit dans toute opération chirurgicale.

Couverture. Faire jour par la couverture.

Se dit d'une personne un peu timbrée, qui n'a pas « toute sa tête ».

Île Verte.

Crachoir. Passer le crachoir (à quelqu'un).

Laisser la parole (à quelqu'un).

Autrefois, celui qui parlait et chiquait le tabac en même temps avait souvent besoin de cracher, c'est pourquoi il y avait toujours à sa disposition un crachoir que l'on se passait de l'un à l'autre le moment venu de prendre la parole, d'où l'expression.

Crachoir. Tenir le crachoir.

Accaparer la conversation, avoir la parole.

« L'oncle Alfred, emporté par sa jarnigoine, tenait souvent le crachoir deux, trois heures. »

Crapaud. Être crapaud.

Être contrariant, rusé, habile, canaille.

« C'était bien crapaud de sa part d'avoir refusé cette réponse pourtant exacte. »

Var. Être crasse.

Voir aussi: **Chien.**

Crème. Être la crème de la famille.

Être le meilleur enfant de la famille.

« Cette jeune fille était la crème de la famille, une vraie soie. »

Parler des Can. fr.

Crème. Être la crème des crèmes.

Être la meilleure, excellente.

Se dit notamment d'une femme.

« Il avait une petite femme, un ange, qui était la crème des crèmes. »

F.C. Le fin des fins.

Parler des Can. fr.

Crésus. Riche comme Crésus.

Très riche.

Var. Riche à craquer.

Creton. Gelé comme un creton.

Transi.

L'analogie vient de ce que les cretons, qui sont des restes de gras de viande frits, sont ensuite congelés pour être utilisés dans les tartines. *Creton* se dit aussi *greton, corton,* etc. ―――――

« Ti-Paul est arrivé gelé comme un creton au village; il faisait un froid sibérien. »

Parler des Can. fr.

Cric. Malin comme un cric.

Très malin.

Comparaison à l'origine énigmatique.

Litt. orale.

Cris. Inventer (éventer) les (des) cris.

Crier très fort.

C'est somme toute crier à gorge déployée, être sur les nerfs et ne plus pouvoir se contrôler.

Cris. Pousser des cris de mort.

Crier à pleins poumons.

Se dit notamment de celui qui, par frayeur, lance des cris stridents.

« Toute surprise, elle a poussé des cris de mort qu'on a entendus jusqu'aux limites du village. »

Var. Pousser un cri de mort.

Croix. N'être pas la croix de Saint-Louis.

N'être pas irréprochable.

Se dit de celui qui jouit d'une réputation douteuse. Référence à la croix caractéristique que portaient les membres de l'Ordre de Saint-Louis de France. Les membres de l'Ordre créé en avril 1693 par Louis XIV pour récompenser ses plus braves officiers devaient obligatoirement être de religion catholique et mener une vie exemplaire, d'où la présente formule.

Parler des Can. fr.

Croquecignole. Piéter comme un croquecignole (croquignole).

Se dit de celui qui s'en fait accroire, qui se prend pour un autre ou se gourme inutilement. Cette comparaison apparaît notamment dans la chanson « Cré quêteux » d'Ovila Légaré.

Crotte. Avoir une crotte sur le cœur.

Cultiver de la rancune, un ressentiment.

C'est-à-dire pour n'avoir pas vidé entièrement une question, avoir encore motif de se plaindre. S'utilise au point de vue moral.

« Marie avait une crotte sur le cœur à cause d'une ancienne chicane apparemment oubliée. »

Croûte. Donner une croûte de pain.

Ne remplir ses promesses que partiellement.

Comme celui qui ne donne qu'une croûte de pain quand il a promis le pain entier, l'individu qui ne remplit ses promesses que partiellement n'a guère de parole.

Parler des Can. fr.

Cuisse. Se casser une cuisse.

Se dit d'une fille qui devient enceinte hors mariage.
Île Verte.

Cul. Baiser le cul de la vieille.

Perdre au jeu.

S'emploie particulièrement à propos du jeu de boules. Exagération dans la formule qui indique la situation dérisoire et humiliante du joueur malchanceux. S'utilise chez nous en rapport au jeu de cartes.

F.C. Mordre la poussière.

Cul. Se grouiller le cul.

Se dépêcher, aller vite, agir promptement.

Euphémisme familier. A l'impératif, se dit pour inviter autrui à se dépêcher.

« Celui-là, on peut dire qu'il se grouille le cul pour faire ses devoirs, aussitôt dit aussitôt fait. »

Cul. Se poigner le cul.

Paresser.

Expression grivoise de niveau populaire.

« Elle se poignait le cul toute la journée pendant que son mari trimait dur. »

Cul. Se retrouver cul par-dessus tête.

Se retrouver sens dessus dessous.

Autrement dit, prendre une dégringolade, une « débarque » et se retrouver dans une position gênante, inhabituelle. S'emploie autant au sens moral que physique.

« La jument a fait pirouetter Ti-Jos et il s'est retrouvé cul par-dessus tête dans le champ.

Var. Prendre une chire.

Cul. Se retrouver le cul sur la braise.

Se retrouver démuni, sans moyen pécuniaire.

« Tous les enfants ayant reçu leur part, le père s'est retrouvé finalement le cul sur la braise. »

Var. Se retrouver le cul sur la paille.

F.C. Se trouver gros Jean comme devant.

Culottes. Chier dans ses culottes.

Être saisi de frayeur.

Familier.

« Ti-cul Tougas a chié dans ses culottes quand il a vu cet énorme ours blanc. »

F.C. Faire dans sa (ses) culotte(s).

Culottes. Mettre les culottes.

En parlant d'une femme, supplanter son époux dans la conduite de la famille.

L'autorité appartenant traditionnellement à l'époux, on dira de la femme qu'elle *met les culottes* comme si, de fait, elle s'arrogeait ainsi une prérogative masculine.

« Madame Marsan a mis les culottes, son mari était en train de dilapider tout le butin en boisson. »

F.C. Porter la culotte.

Parler des Can. fr.

Culottes. Pisser dans ses culottes.

Avoir peur, être pris de frayeur.

Var. Être pissou.

Parler des Can. fr.

Culottes. Se faire prendre les culottes à terre.

Se faire prendre à l'improviste.

« Ti-pit s'est fait prendre les culottes à terre, dans le fond du placard, en train de mettre le rouge à lèvres de sa mère. »

Var. Se faire prendre les culottes baissées.

Curé. Parler comme un curé.

S'exprimer éloquemment, avec facilité, dans un riche vocabulaire.

Le curé, autrefois, était souvent la personne la plus instruite du village et celle qui s'exprimait le mieux et avec le plus d'affectation, d'où naturellement la présente comparaison.

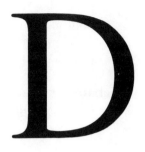

Dalle. Se rincer la dalle.

Boire des boissons enivrantes.

Dalle: apparemment dans ce cas-ci, variation sur *dalot,* canal ou tuyau destiné à l'écoulement des eaux usées.

Var. Se rincer le gosier, le gorgoton, le dalot.

Débarque. Prendre une (moyenne) débarque.

Chuter, dégringoler.

Se dit d'une chute physique ou morale. *Débarquer* est à l'origine un terme de marine signifiant *descendre de la barque, du navire, prendre pied à terre.* Par extension on l'utilise dans le présent sens.

F.C. Faire une chute.

Parler des Can. fr.

Trésor ds montagne.

Déboutonner. Manger à se déboutonner.

Manger beaucoup.

Celui qui mange beaucoup a tendance naturellement à défaire sa braguette qui autrefois se fermait par des

boutons et non comme aujourd'hui par une fermeture éclair, d'où la présente expression.
Parler des Can. fr.

Déchaîné. Sacrer comme un déchaîné.

Jurer, blasphémer ostensiblement, sans retenue.

Var. Sacrer comme un charretier.

Décousu. En avoir long de décousu.

Avoir la conscience élastique; porter une robe échancrée.

« Il en avait long de décousu rapport aux quelques petits vols qu'il avait commis dans le voisinage. »
F.C. Avoir la conscience large.
Parler des Can. fr.

Défoncé. Manger comme un défoncé.

Être glouton.

Autrement dit, manger comme quelqu'un qui n'a pas de fond.

Var. Manger comme un cochon. Péjoratif.

F.C. Être un gros mangeur.

Dégradé. Être dégradé.

Être retardé, retenu par un obstacle ou des éléments naturels.

Originellement dans le vocabulaire marin, *dégrader* se dit de l'action de forts vents ou courants qui font dévier le navire de sa course d'où, par extension, cette formule.
Parler des Can. fr.

Démon. Jurer comme un démon.

Jurer avec véhémence, grossièrement. Péjoratif.

« Ti-Gus, chaque fois qu'il prenait un verre de trop, se mettait à jurer comme un démon. »

Var. Sacrer comme un démon.

Parler des Can. fr.

Dents.

Voir: **Mors.**

Derrière. Mourir le derrière sur la paille.

Mourir dans le dénuement.

« Après avoir tout donné à ses enfants, il est mort le derrière sur la paille. »

Var. Mourir le cul sur la paille; avoir le derrière sur la paille (être pauvre).

Parler des Can. fr.

Derrière. Se lever le derrière devant.

Se lever de mauvaise humeur.

« Il s'est chicané avec sa femme hier soir, ce matin il s'est levé le derrière devant. »

F.C. Se lever de mauvais pied.

Litt. orale.

Dessour. Virer dessour (sic).

Être en colère, exprimer sa colère.

Dessour: dessous, en dessous. De même qu'un pneu patine sur un pavé glissant, celui qui « vire dessour » se met en colère, gesticule inutilement sans que cela le fasse nécessairement avancer.

Dessus. S'asseoir dessus puis tourner.

Y repenser.

Se dit pour signifier à quelqu'un de garder ses idées pour lui seul, celles-ci n'ayant aucune chance d'être appliquées. Euphémisme familier.

F.C. En faire son deuil.

Dételé. Être dételé.

Être démuni de tout, sans ressources.

Expression issue du vocabulaire équestre. Par opposition, on dira que l'on *est attelé à une tâche,* c'est-à-dire appliqué à l'accomplir. On dit aussi *dételer* pour *abandonner* ou *démissionner* en général.

Dévidoi'. Parler comme un dévidoi'.

Parler sans arrêt, être bavard.

Comme le dévidoir, sorte de fuseau à ailettes dont est muni le rouet servant au filage de la laine, celui qui souffre de « bavardise » est intarissable et le fil des mots va dans sa bouche sans interruption.

Litt. orale.

Devineux. Être devineux.

Savoir présager, deviner le cours des événements.

« J'suis pas ben ben devineux de nature mais j'sais ben qu'on l'aura pas l'aqueduc. »

Dia.

Voir: **Hue.**

Diable. Aller au diable.

Disparaître.

S'emploie surtout à la forme impérative: « Qu'il aille au diable! »

F.C. Aller se faire pendre, se faire foutre.

Fantastique de la Beauce.

Diable. Aller chez le beau diable.

Aller à la débandade, décamper.

Var. Aller chez le diable.

Parler des Can. fr.

Diable. Avoir le tour du diable.

Réussir envers et contre tous, malgré toutes les embûches.

Var. Être sorcier.

Fantastique de la Beauce.

Diable. Avoir une misère du diable.

Avoir de la difficulté à accomplir une tâche, être en grande difficulté.

Diable sert ici à accroître l'intensité de la formule, comme d'ailleurs de la suivante:

« J'ai eu une misère du diable à le sortir de l'eau, il était coincé entre deux roches. »

Var. Avoir une misère du beau diable.

Diable. Avoir une peur du diable.

Avoir une frayeur incontrôlable, une grande peur.

« Il avait une peur du diable qu'on ne découvre son forfait. »

Var. Avoir une peur du beau diable, une peur bleue, une frousse du diable.

Parler des Can. fr.

(ill. 4)

Diable. Beau comme le diable.

Très beau, attirant, fascinant.

Indique l'attirance de même qu'une certaine frayeur.

Fantastique de la Beauce.

Diable. Dans le diable au vert.

Très loin.

Se dit par rapport à l'éloignement physique. Déformation populaire de « aller au diable Vauvert », locution française dont l'origine, d'après Rat *(Dict. des loc. françaises),* remonterait à l'époque de Philippe Auguste dont le château de Vauvert fut prétendument hanté après l'excommunication de son malheureux propriétaire.

Var. Au diable au vert.

Fantastique de la Beauce.

Diable. Être bien le diable.

Se dit pour exprimer la surprise, l'étonnement. Formule exclamative. Par rapport à un événement inattendu.

Parler des Can. fr.

Diable. Être en diable.

Être en colère, en furie.

Se dit d'une colère profonde, toute d'émotion. Populaire.

Diable. Être fort comme le diable.

Être très fort.

Civ. trad.

Var. Être en beau diable, en beau maudit, en beau joual vert, etc.

Civ. trad.

Parler des Can. fr.

Diable. Être le diable tout recopié.

Se dit particulièrement d'un enfant qui ne peut être mâté, qui est turbulent.

Var. Être le diable tout pur.

Parler des Can. fr.

Diable. Être le tison du diable.

Être très rusé, malin.

Civ. trad.

Diable. Faire le diable.

Susciter la chicane, la mésentente.

« L'oncle Athanase faisait le diable partout où il passait, c'est pourquoi on s'en méfiait tellement. »

Fantastique de la Beauce.

Diable. Faire peur au diable.

Être d'une grande bravoure, être très laid.

« Mademoiselle Dupont, la maîtresse d'école du village, est tellement laide qu'elle fait peur au diable. »

Fantastique de la Beauce.

Diable. Forcer que l'diable.

Forcer beaucoup.

Le vocable *diable* sert ici à renforcer la signification générale.

« J'ai forcé que l'diable après ce tuyau avant qu'il ne se dévisse. »

Parler des Can. fr.

Diable. Laid à faire peur au diable.

Très laid.

Exagération amusante.

Var. Laid comme le diable.

Parler des Can. fr.

Civ. trad.

Litt. orale.

Diable. Le diable bat sa femme pour marier sa (ses) fille(s).

Se dit par rapport au temps qu'il fait, c'est-à-dire quand il pleut et fait soleil en même temps. S'utilise aussi en France.

Var. Le diable bat sa femme pour avoir des crêpes.

Diable. Le diable est aux vaches.

La pagaille règne.

Allusion à la croyance ancienne qui veut que l'agitation qui s'empare des vaches longtemps confinées au cours des longs mois d'hiver soit causée par le Malin (diable). D'ailleurs, on croyait encore il n'y a pas si longtemps dans certains villages que l'agitation nocturne des vaches provenait de ce que le diable allait les tourmenter.

Parler des Can. fr.

Diable. Le diable l'emporte.

Il va très vite, à vive allure.

Euphémisme familier. Allusion à la croyance populaire qui veut que le diable ait la possibilité, moyennant certaines concessions, de transporter les mortels à travers le temps et l'espace. Aujourd'hui cependant, l'origine de cette expression est rarement évoquée.

Parler des Can. fr.

Diable. Le diable n'y reconnaîtrait pas les siens.

Se dit d'une situation apparemment inextricable. Embrouillamini. Exagération amusante.

F.C. Une chienne n'y retrouverait pas ses chiens.
Fantastique de la Beauce.

Diable. Le diable s'emporte.

Formule exclamative indiquant la surprise, la stupeur.

« Le diable s'emporte, mes enfants, y'avait pas fait trois pas qu'y est tombé raide mort. »

Diable. Loger le diable dans sa bourse.
Être démuni d'argent.

Diable. Mener le diable.

Faire du tapage, du bruit, être turbulent.
Var. Faire un tapage du (beau) diable.

Diable. Mettre le diable dans la cabane.

Instaurer la discorde, la chicane dans un couple, une famille.

« Il met le diable dans la cabane partout où il entre. »
Var. Mettre le diable; y avoir le diable dans la cabane, (la discorde règne).
Parler des Can. fr.

Diable. Ne pas être (le) diable.
Être de peu de valeur.

« Cette voiture n'est pas diable, elle va sûrement tomber en pièces d'une minute à l'autre. »

Diable. Noir comme chez le diable.
Dans l'obscurité complète.
Litt. orale.

(ill. 5)

Diable. Se débattre comme un diable dans l'eau bénite.

Se débattre de toutes ses forces, avec la dernière énergie.

Se dit au sens moral ou physique.

« Quand on a lavé le chien de force, il se débattait comme un diable dans l'eau bénite. »

Var. S'agiter, se démener comme un diable dans l'eau bénite.

Fantastique de la Beauce.

Parler des Can. fr.

Diable. Tannant comme le beau diable.

Désagréable, « achalant ».

Superlatif. On dira aussi par exemple, fatigant comme le beau diable, achalant comme le beau diable, etc.

Parler des Can. fr.

Diable. Tirer le diable par la queue.

Éprouver de la difficulté, notamment du point de vue pécuniaire.

« Après avoir tiré le diable par la queue toute sa vie, il a hérité gros de la mère qui est morte de sa belle mort. »

Dieu. Le bon Dieu le sait et le diable s'en doute.

Boutade familière, pour appuyer une évidence.

Dieu. Ne croire ni à Dieu ni à diable.

Être athée, incroyant, amoral.

C'est-à-dire n'éprouver aucun remord ou n'avoir aucune moralité. Dépréciatif. Naturellement, celui qui ne croit ni à Dieu ni à diable suscite l'aversion, la

(ill. 6)

méfiance dans une communauté où la croyance religieuse est omniprésente.

Fantastique de la Beauce.

Dieu. Pour l'amour du bon Dieu.

Exclamation commune. Se dit pour implorer, prier.

Dieu. Que le bon Dieu nous bénisse et que le diable les charisse.

Boutade familière. Formule amusante proférée parfois dans une conversation à titre de souhait. Utilisée souvent pour clore une conversation.

Diguidou. Être diguidou.

Être parfait, impeccable.

Exclamation populaire exprimant la satisfaction.

Dimanches. En faire ses beaux dimanches.

Faire son bonheur de quelque chose, s'en s'accommoder.

« Le manteau de mémère, ses filles, après sa mort, s'en sont fait leurs beaux dimanches. »

Parler des Can. fr.

Dindon. Imbécile comme un dindon.

Très stupide, écervelé.

Dire. Dire comme on dit.

Se dit pour introduire un proverbe, un *dict,* un *dire de vérité.* Il s'agit d'une locution fort usitée et qui sert d'introduction à une affirmation péremptoire, universelle.

« J'vas dire comme on dit, la vie c'est pas ce qu'il y a de plus facile à vivre. »

Doigt. Gros comme mon doigt.

Maigrichon, de petite taille.

Dépréciatif.

« C'est gros comme mon doigt et ça veut faire peur au monde. »

Litt. orale.

Doigt. Se fourrer un doigt dans l'œil.

Se fourvoyer.

Se dit à propos d'une grossière erreur de jugement ou de perspective faite autant par soi-même que par autrui.

Var. Se mettre un doigt dans l'œil; se fourrer (mettre) un doigt dans l'œil et l'autre dans le cul. Familier.

Doigts. Se mettre les doigts dans la porte.

Se mettre dans une situation difficile, délicate.

F.C. Se mettre le doigt entre l'arbre et l'écorce.

Dos. Avoir le dos rond comme un forgeron.

Avoir le dos très rond.

Autrefois, les forgerons, courbés toute la journée sur leur forge, développaient souvent une courbure du dos, d'où la présente comparaison.

Le Forgeron.

Dos. Flauber sur le dos.

Tomber sur le dos, à la renverse.

Aussi, flauber son argent, c'est dépenser sans discernement, le disperser aux quatre vents.

Parler des Can. fr.

Dossier. Avoir un dossier long comme le bras.

Avoir un long dossier, un dossier chargé.

Dans le milieu policier, se dit par rapport au dossier d'un détenu, d'un condamné.

Drap. Blanc comme un drap.

Très blanc, livide.

Se dit d'une personne blême, dont l'aspect indique qu'elle est la proie d'un malaise ou d'une extrême frayeur.

Var. Blême comme un drap, une vesse de carême. Familier.

Parler des Can. fr.

Dur. Être dur de gueule.

Être difficile à diriger, à contrôler (en parlant d'un cheval).

Dur. Faire dur.

Se dit d'une situation ou d'un individu dont on relève l'aspect ridicule, repoussant. Péjoratif. S'utilise autant au sens moral que physique.

Var. Avoir l'air fou.

Trésor ds montagne.

Dur. Triper dur.

Exagérer, faire des bravades.

(« To trip », angl.: tomber, partir en voyage.) Dans la langue un peu ésotérique de la jeunesse actuelle.

Eau. Amener de l'eau au moulin.

Faire des recettes, des gains, accumuler les arguments.
Par extension, se dit d'une accumulation de données
qui nous est favorable de quelque façon. Aussi de
quelque gain d'argent, d'une accumulation de témoi-
gnages favorable à sa cause.

Eau. Mettre de l'eau dans son vin.

Accepter le compromis.
Dans un désaccord, pour signifier qu'il faut se servir
de sa tête et accepter une entente juste en faisant des
compromis.
Civ. trad.

Eau. Y avoir assez d'eau pour noyer le poisson.

*Y avoir assez de moyens pour faire oublier une ques-
tion d'importance.*
Par exemple, à propos d'un projet gouvernemental
que, par diversion, on fait reléguer aux oubliettes.
Enterrer un projet sous un flot de paroles inutiles.
Var. Noyer le poisson.

Échalote. Maigre comme une échalote.

Très maigre.

Comme l'échalote est mince et élancée, la personne souffrant de maigreur lui est souvent comparée.

Var. Maigre comme un doigt; petit comme une échalote *(litt. orale)*.

F.C. Être comme un grand échalas.

Civ. trad.

Échappes. Se planter des échappes (échardes) à tout moment.

Commettre des bévues, des bourdes à tout moment. S'emploie au sens moral aussi bien que physique. Se dit à propos d'une personne particulièrement maladroite.

F.C. Lâcher une bourde.

Parler des Can. fr.

Éclair. Vite comme l'éclair.

Très rapide.

Se dit d'une personne ou d'un animal.

« Le petit sacripant est vite comme l'éclair, pas moyen de l'attraper. »

F.C. Être prompt comme l'éclair.

Civ. trad.

Écureuil. Agile comme un écureuil.

Très agile.

Notamment d'un enfant.

Litt. orale.

Écureuil. Smart comme un écureuil de la patte.

Rusé, intelligent.

(« Smart », angl.: intelligent.)

« Le petit Luc est smart comme un écureuil de la patte, on ne lui fait pas prendre des vessies pour des lanternes. »

Embarquer. Se faire embarquer.

Se faire berner.

Expression qui a son origine dans le vocabulaire marin. Autrefois, en effet, on faisait souvent embarquer les marins par contrainte ou par de fausses promesses, d'où l'expression.

Empoté. Être empoté.

Être niais, engourdi, paresseux.

« Il est tellement empoté qu'il n'emporte même pas son sac d'école en classe. »

Enculotter. Se faire enculotter.

Se « donner » à son gendre.

« Il arrive qu'un père qui n'a pas de fils se donne à son gendre. On dira alors de ce dernier qu'il s'est « fait enculotter ». — Madeleine Ferron, Robert Cliche, *Quand le peuple fait la loi,* p. 31, (voir la bibliographie). Procède d'une vieille coutume campagnarde chez nous qui veut qu'un père âgé et plus ou moins impotent se « donne » au plus vieux de ses fils ou, le cas échéant, à son gendre, de même qu'il lui cède toutes ses possessions.

Enfant. Être un enfant de Sainte-Anne.

Se dit d'un enfant né d'une mère d'un âge relativement avancé. On ne tenait pas, naguère, à ébruiter l'événement étant donné le sentiment de honte (apparemment incompréhensible) qui s'y rattachait. Référence à l'histoire biblique voulant que Sainte-Anne ait enfanté de la Vierge à un âge avancé. La fête de Sainte-Anne a lieu le 26 juillet.

Enfant. Pleurer comme un enfant.
Pleurer abondamment.
Comparaison légèrement péjorative, dans certains cas.
« Elle pleurait comme un enfant quand on a mis son mari en terre. »
F.C. Pleurer comme une Madeleine.
Litt. orale.

Enfants. Ne pas faire des enfants forts.
Un résultat qui n'apporte ni vigueur ni santé.
S'emploie à la forme impersonnelle, en guise de boutade.
Dépréciatif.
« Se coucher toutes les nuits à deux heures, ça fait pas des enfants forts. »

Enfirwâper. Se faire enfirwâper.
Se faire jouer, berner.
Référence aux anglais qui, autrefois, s'habillaient de fourrure. Enfirwâper (« in fur wrapped », angl.: enveloppés de fourrure) par opposition aux Français qui eux, portaient habituellement des vêtements de lin. Ainsi, quand les Français se faisaient jouer, berner, par les Anglais, ils employaient cette expression qui par la suite s'est généralisée.

Épais. Être épais dans le plus mince.

Être niais, empoté.

Se dit de quelqu'un qui a « les deux pieds dans la même bottine », qui agit toujours à contretemps ou profère des imbécilités.

Épée. Franc comme l'épée du roi.

Très franc, intègre.

Autrement dit, d'une franchise sans détour, sans compromis.

Var. Droit comme l'épée du roi.

F.C. Avoir son franc-parler.

Parler des Can. fr.

Épelures. Ne pas se moucher avec des épelures (pelures) de bananes.

Ne pas économiser, ne pas lésiner.

« Le médecin du village, on ne peut pas dire qu'il se mouche avec des épelures de bananes, il n'arrête pas de dépenser à droite et à gauche. »

Var. Ne pas se torcher avec des épelures de bananes.

F.C. Ne pas se moucher du pied.

Épingles. Être tiré à quatre épingles.

Être bien habillé, vêtu avec recherche, guindé.

Autrefois, les membres d'une famille portaient successivement le même vêtement et souvent, quand la taille ne faisait pas, on se servait d'épingles qu'on laissait en permanence, d'où l'expression.

« À la messe du dimanche, il est toujours tiré à quatre épingles. »

Voir: **Trente-six.**

Épinglette. Être comme une épinglette.

Être irréprochable dans sa tenue.

Épinglette: se dit d'une épingle en métal précieux avec une tête munie d'une pierre précieuse.

Litt. orale.

Éponge. Boire comme une éponge.

Boire beaucoup.

Se dit de quelqu'un qui consomme beaucoup de boissons enivrantes.

« Le père Mathieu boit comme une éponge, la table est remplie de bouteilles vides. »

Var. Boire comme un trou.

Litt. orale.

Épouvante. Aller à la fine épouvante.

Aller à vive allure.

Référence à la course éperdue de celui qui est épouvanté, qui subit une grande frayeur.

Var. Aller (passer) à la file épouvante.

Litt. orale.

Escousse. Attendre une escousse.

Attendre quelque temps, un temps.

Escousse: secousse; le terme était employé autrefois dans la province du Béarn en France mais a depuis été remplacé par *escourse*.

Esprit. Faire de l'esprit de bottine.

Exprimer des insanités, des stupidités.

Se dit de quelqu'un qui veut faire des jeux d'esprit mais, ce faisant, exprime les pires insanités.

Estèque. Faire l'estèque.

Effectuer une dernière levée au jeu de cartes.

Estèque (« steken », allemand: bâton), outil dont le potier se sert pour terminer ses ébauches, d'où, par extension, la formule.

Parler des Can. fr.

Étoffe. Être de l'étoffe du pays.

Être d'un bon naturel, d'une constitution robuste.
L'étoffe du pays, c'était le gros drap ou autrement dit la grosse étoffe en laine ou en lin avec laquelle on confectionnait de chauds vêtements. L'étoffe du pays, un temps, qualifiait le « Canayen » ou l'Habitant de chez nous, c'est-à-dire le véritable possesseur du pays.

Parler des Can. fr.

Face. Avoir une face de carême.
Avoir mauvaise mine, la mine rabougrie.
Péjoratif.

Face. Se parler dans la face.
Se dire ouvertement ce que l'on pense l'un de l'autre.
F.C. Se dire ses quatre vérités.

Fale. Avoir la fale basse.
Avoir la mine basse, dépitée.
Fale: partie antérieure du cou, en parlant de certains animaux. La formule s'applique essentiellement à un individu. Le *Gloss. du parler fr. au Can.* donne la signification suivante: avoir faim, être affamé.
« Je te dis qu'après cette râclée qu'il a reçue de son père, il avait la fale basse. »

Famille. Partir pour la famille.
Tomber enceinte.
Familier. La variante est d'un usage plus courant.
Parler des Can. fr.

Farine. Mettre quelqu'un sous farine.

Sortir quelqu'un de la misère.

Le *Gloss. du parler fr. au Can.* donne, pour *être sous farine,* la signification suivante: être gai, de bonne humeur.

Parler des Can. fr.

Fentes. Marcher sur les fentes.

Se dit d'un individu ivre qui tente de marcher en ligne droite sans y parvenir.

« Le père Joseph marchait sur les fentes hier soir, une bouteille à la main, il s'est rendu de peine et de misère chez lui. »

Parler des Can. fr.

Fer. Battre le fer tandis qu'il est chaud.

Profiter de l'occasion quand elle se présente.

Formule d'utilisation générale.

« Vous ne serez de si tôt en état de vous marier: vous ne pouvez donc profiter de la préférence momentanée que vous accorde mademoiselle Pérault et, comme l'on dit vulgairement, *Battre le fer tandis qu'il est chaud.* » — Eraste d'Odet d'Orsonnens, *Une Apparition,* p. 32.

Var. Battre le fer quand il est chaud.

Fesses. Coucher les fesses nu-tête.

Boutade familière. Se dit notamment en guise d'explication amusante à l'endroit de celui ou celle qui souffre d'un rhume ou d'un malaise quelconque. Se dit de l'individu qui dort nu.

Fesses. Doux comme des fesses de sœurs.

Très doux.

« Mon père, qui était menuisier, disait souvent, après avoir bien sablé une pièce de bois: hum! c'est doux comme des fesses de sœurs. » — Un informateur.

Feu. Avoir le feu.

Être en colère, furieux.

Var. Avoir le feu au cul. Familier.

F.C. Jeter feu et flamme.

Feuille. Blanc comme une feuille de papier.

Très pâle, livide.

Se dit de celui qui, éprouvant un malaise ou une grande frayeur, pâlit fortement.

Var. Blanc comme un drap.

Litt. orale.

Feuille. Trembler comme une feuille.

Trembler beaucoup.

Se dit de celui qui, par exemple, éprouve une frayeur extrême.

Var. Avoir la tremblote.

Litt. orale.

Fil. Connaître tout de fil en aiguille.

Connaître tout en remontant de l'effet à la cause.

F.C. Remonter de fil en aiguille.

Parler des Can. fr.,

Civ. trad.

Fil. Faire les choses dans le fil.

Viendrait vraisemblablement de couper dans le « sens

(ill. 7)

des fibres », que ce soit de viande ou de bois — ou même de marbre —, c'est-à-dire proprement et sans déchiqueter.
Parler des Can. fr.

Fille. Être une petite fille à maman.
Être infantile.
Péjoratif. La formule s'emploie aussi pour les garçons: *être un petit gars à maman*.
Var. Rester sous les jupes de sa mère.

Fille. Faire sa fille.
Recevoir des garçons.
« À l'âge de quatorze ans, elle s'est mise à faire sa fille rapport qu'il y avait des garçons aux alentours. »
Trésor ds montagne.

Fils. Avoir des fils d'araignée dans la gorge.
Être assoiffé, avoir la gorge enrouée.
Se dit souvent d'individus souffrant d'éthylisme et dont la voix, de ce fait, devient rauque.

Fin. Crotter fin.
Ne pas en mener large.
Se dit de quelqu'un se trouvant dans une situation pénible, inconfortable.
Var. Faire petite crotte. (Dionne, *Parler pop. des Can. fr.)*
F.C. Être dans ses petits souliers.

Fin. Ne pas être la fin du monde.
Ne pas être extraordinaire, exceptionnel.
F.C. Ne pas être le Pérou.

Fin. Se mettre sur son fin.

Porter ses plus beaux vêtements, s'habiller avec re-cherche.

Se dit de celui qui, pour une sortie importante, se fait beau.

« Je te dis que le Paulo, aujourd'hui, chez la parenté, il était sur son fin. »

Var. Se mettre sur son trente-six.

Parler des Can. fr.

Fioles. Docteur serrez vos fioles la prescription est sur les bouchons.

D'un patient à son médecin traitant. Se dit pour si-gnifier qu'il ne désire pas consommer un médicament. Boutade amusante.

Fion. Placer son fion.

Placer son mot.

Barbeau *(Le français du Can.*, p. 125) y discerne le sens de *pointe, craque;* par contre, dans une autre de ses œuvres *(Le Ramage de mon pays,* Valiquette, Montréal, 1939, p. 81), il donne comme signification: *dire une malice.* Légère connotation péjorative.

Fitté. Ne pas être fitté.

Ne pas être intelligent, ne pas avoir sa tête.

Fitté: futé.

« Il est pas fitté pour avoir fait tout ce chemin à cause de cette fille qui le méprise royalement. »

Fla-fla. Faire du fla-fla.

Faire des cérémonies, avoir une attitude cérémonieuse.

« L'hôtesse avait fait tellement de fla-fla que tous les invités étaient pris de gêne. »

Flanellette. Être rouge comme la flanellette.

Être très rouge.

Flanellette: tissu au fini pelucheux, plus épais que le simple coton. Se dit parfois *flanalette*. Autrefois la flanellette se faisait rarement dans une autre teinte que le rouge, d'où la présente comparaison.

Civ. trad.

Flèche. Droit comme une flèche.

Très droit, dressé.

« C'était-y beau à voir, ce soldat à l'attention, droit comme une flèche. »

Litt. orale.

Voir: **Épée.**

Foin. Avoir du foin.

Être riche, avoir de l'argent.

« Le vieux Séraphin avait du foin en masse, même s'il ne le montrait pas. »

Var. Avoir de la mesoune; avoir la galette, la palette.

F.C. Avoir du fric.

Foin. Fou comme un foin.

Idiot, écervelé.

Var. Fou comme le balai; fin comme un foin.

Civ. trad.

F.C. Fou à lier.

Folle. Rire comme une folle (ou un fou).

Rire intempestivement.

Litt. orale.

Fond. Avoir son fond de penouille.

Connaître enfin la tranquillité après les épreuves de la vie.

Penouille: mot basque signifiant *péninsule.*

Forgeron. Fort comme un forgeron.

Très fort, robuste.

Comme le forgeron exerçait un métier difficile, c'était la plupart du temps un homme à forte musculature; souvent d'ailleurs, et avec raison, il avait la réputation d'être l'homme le plus fort du village.

Le Forgeron.

Voir: **Chevaux, Dos.**

Fort. Capoter fort.

Agir bizarrement.

Dans le jargon de la jeunesse. De *capoter,* être atteint de folie, perdre la raison. Indique la perplexité face à un comportement dont la raison nous échappe.

Fou. Être fou braque.

Être tout à fait fou, agité, ne plus savoir se contenir.

Fou. Faire le fou.

Faire des idioties.

Se dit de celui qui, pour s'amuser ou pour amuser autrui, fait des folies. Descriptif.

Fou. Lâcher son fou.

Se laisser aller, se défouler, s'abandonner à l'exubérance.

« Après la messe, il a lâché son fou, les quatre fers en l'air, il s'était retenu trop longtemps. »

(ill. 8)

Fou. Rire comme un fou.

Rire à gorge déployée, ostensiblement.

Fou. Un fou dans une poche.

Se dit pour signifier son intention de ne pas se laisser berner.

« Si tu penses que je vais me laisser vendre cet appareil deux fois le prix qu'il vaut, un fou dans une poche... »

Frais. Faire son frais.

Faire le prétentieux, l'orgueilleux, snobber.

Var. Faire le frais à chier. Familier.

Fraise. Se pacter la fraise.

S'enivrer.

Pacter (« to pack », angl.: empaqueter). Familier.

« Il s'est si bien pacté la fraise qu'à la fin de la soirée il ne pouvait plus mettre un pied devant l'autre. »

Var. Lever le coude; prendre un coup, une brosse; partir en baloune, en frippe.

Frette. Être pété au frette.

Être pince-sans-rire, rire sans pouvoir s'arrêter.

« Elle, elle est pétée au frette, pas moyen de la faire revenir au sérieux. »

Frette. Péter au frette.

Mourir subitement.

« Grand-père Ménard a pété au frette l'hiver dernier après avoir bu son petit verre de gin. »

Frigidaire. Être bâti comme un frigidaire.

Être costaud, avoir un physique développé.

À propos d'un homme. *Frigidaire:* marque de commerce qui désigne dans la langue populaire un réfrigérateur.

Var. Être bâti comme une armoire à glace, un pan de mur.

Frimas. Avoir le frimas.

Avoir très froid.

Référence au fait que, dans les maisons d'autrefois où l'on chauffait au bois, le frimas formait parfois des dépôts de givre sur la surface intérieure des fenêtres mal isolées, lorsque le froid était trop vif.

Fripe. Tomber sur la fripe de quelqu'un.

Enguirlander, tabasser quelqu'un.

Fripe, de *friperie:* vêtements, meubles qui, ayant servis, sont plus ou moins usés (Littré). On disait d'ailleurs en France, mais l'expression est maintenant disparue de l'usage courant, *tomber sur la friperie de quelqu'un.* S'emploie surtout au sens moral.

« À son retour, sa mère lui est tombée sur la fripe, imagine-toi, il n'était pas allé à la messe. »
Parler des Can. fr.

Front. Avoir du front tout le tour de la tête.

Être effronté, sans gêne.

Péjoratif.

Front. Avoir un front de bœuf.

Être fonceur.

Familier. Descriptif.

(ill. 9)

Fumier. Avoir du fumier dans les turn-ups.

Être peu dégourdi, empêtré, niais.

(« Turn-ups », angl.: revers de pantalon.) Dépréciatif.

Var. Avoir du fumier dans ses bottes.

Fumier. Un terrain comme du fumier de mouton.

Se dit d'un terrain inculte et imperméable.

Fun. Avoir un fun noir.

S'amuser follement.

« On a eu un fun noir toute la nuit à danser. »

(« Fun », angl.: plaisir.)

F.C. Avoir un plaisir fou.

Fusée. Se rendre au bout de sa fusée.

Se rendre au bout de ses arguments, de ses forces.

Parler des Can. fr.

Fusil. Changer son fusil d'épaule.

Changer sa stratégie, son argumentation.

Se dit de celui qui, sans changer fondamentalement son point de vue, modifie son approche. « Quand il a vu qu'il n'arrivait à aucun résultat, il a changé son fusil d'épaule. »

Civ. trad.,

Parler des Can. fr.

Fusil. Être en fusil.

Être en colère.

C'est-à-dire être tellement furieux qu'on serait prêt à prendre un fusil pour exprimer sa colère.

Var. Être en (beau) maudit, en joual vert, etc.

Voir: **Portée.**

Gabarot. Faire sauter le gabarot à quelqu'un.

Éliminer soudainement quelqu'un, le battre.

Originellement dans la langue maritime, *gabarot* ou *gabarotte* se disait d'une petite gabare qui est une sorte de bateau non ponté à voile et à rames.

Parler des Can. fr.

Gale. Pauvre comme la gale.

Très pauvre.

Var. Pauvre comme Job.

Galette. Avoir la galette.

Être riche.

Chez nous, allusion à l'épaisseur de la liasse de billets de banque. Galette: terme populaire encore usité au XIXe siècle, en France, pour désigner la monnaie métallique et, par extension, l'argent de papier. L'anglais dit: « To have brass ».

Var. Avoir le paquet, la mesoune, le motton.

F.C. Avoir de la galette.

Galette. Faire la galette.

Faire fortune.

« Pendant ces six mois dans le Grand Nord, il a fait la galette sans bon sens. »

Var. Faire du foin, de la mesoune, la palette, la piastre.

F.C. Faire du fric.

Galette. Plate (plat) comme une galette.

Très mince, plat, maigre.

« Il avait l'habitude de mettre le fer à repasser sur ses toasts jusqu'à ce qu'elles deviennent plates comme des galettes. »

Civ. trad.

Parler des Can. fr.

Galette. Se mettre à sa galette.

Se mettre à gagner sa vie.

La *galette,* c'est la galette de sarrazin, mets rustique et peu coûteux que les plus démunis s'offraient naguère.

« Aussitôt qu'il a été installé avec sa femme il s'est mis à sa galette. »

F.C. Gagner son sel.

Galette. Vivre à la galette de sarrazin.

Vivre pauvrement.

F.C. Vivre chichement.

Parler des Can. fr.

Voir: **Chiens, Loups.**

Galipote. Courir la galipote.

Vagabonder, courir les jupons.

Se dit notamment de celui qui recherche à droite et à gauche de joyeuses et charmantes compagnies. En bearnais et en gascon, on dit *galibaût(e)* pour *gouinfre, goulu*.

Var. Courir les chemins; courailler; sortir après neuf heures.

F.C. Courir la prétentaine, la galipette.

Parler des Can. fr.

Gants. Mettre des gants blancs.

Faire des cérémonies, agir avec déférence.

Descriptif. Se dit d'une attitude cérémonieuse, pleine d'égards.

Var. Faire du chichi.

Parler des Can. fr.

Garçon. Blé d'Inde resté garçon.

Se dit du maïs qui n'a pas atteint sa pleine maturité.

Gargantua. Manger comme Gargantua.

Manger beaucoup, être glouton.

Var. Manger comme un glouton, un cochon, un défoncé.

Litt. orale.

Gars. Être arrangé avec le gars des vues.

Être prévisible, truqué.

À propos d'une situation dont le déroulement est facilement prévisible.

(ill. 10)

Geai. Noir comme un geai.

Très noir.

Bien que l'on disait à l'origine *noir comme jais,* à cause de la couleur de cette substance bitumineuse, d'un noir brillant, l'expression devint bientôt dans la langue populaire *noir comme geai,* sans doute à cause du rapprochement entre l'oiseau qui porte ce nom et la corneille entièrement noire. D'ailleurs, ils appartiennent tous les deux à la grande famille des *corvidae.* Peut-être s'agit-il, dans cette expression bien connue, d'un cas de transfert linguistique, ou encore d'un simple fait d'observation empirique. En effet, le geai gris (geai du Canada) de même que le geai de Steller (Cyanocitta stelleri) ont diverses parties du corps noires, même si cette couleur ne prédomine pas chez eux. Confondant cet oiseau avec la corneille, on a pu ainsi dire indifféremment *noir comme un geai* ou *noire comme une corneille, noir comme un jais* n'étant plus utilisé chez nous que dans la langue littéraire, mais dans un sens identique, somme toute, à l'expression orale.

Var. Noire comme une corneille.

Litt. orale.

F.C. Noir comme geai (jais).

Génie. Ne pas avoir son génie.

Être idiot.

Génie, dans la langue populaire: intelligence.

Var. Être dérangé, ne pas avoir sa tête.

« Macloune n'avait pas son génie de vouloir marier Marie-Louise, une simplette comme il n'y en a pas. »

Parler des Can. fr.

Genou.
>Voir: **Palette.**

Genoux. Ne pas couper plus que des genoux de veuves.
>*Avoir perdu son tranchant, être complètement émoussé.*
>Se dit à propos d'instruments coupants ou conton-
>dants (ciseaux, couteaux, haches, etc.).
>*Coll. Massicotte.*

Genoux. Ne pas s'user les genoux.
>*Ne pas souvent prier.*
>Péjoratif. Expression illustrant l'ostracisme au moins
>verbal dont étaient victimes ceux qui, autrefois, ne
>pratiquaient que peu leur religion dans une commu-
>nauté traditionnellement religieuse.
>« On ne peut pas dire qu'il s'use les genoux, on ne le
>voit jamais à l'église. »
>*Parler des Can. fr.*

Glace. Froid comme de la glace.
>*Imperturbable, distant.*
>Se dit d'un individu.
>« Quand je l'ai rencontré à ce banquet, il était froid
>comme de la glace, c'était comme s'il ne m'avait ja-
>mais vu avant. »
>*Litt. orale.*

Gloire. Partir pour la gloire.
>*S'enorgueillir au point de déraisonner.*
>Se dit de celui qui, gonflé d'orgeuil, perd tout sens des
>réalités. Se dit notamment d'une personne ivre. Indi-
>que une distance morale.

« Après avoir gagné à la loto, il est parti pour la gloire, dépensant à droite et à gauche. »

Go. Partir sur un go.
Aller fêter, partir sur une idée fixe.
« Monique est partie sur un go tout le weekend, on l'a revue seulement lundi matin. »
F.C. Faire une virée.

Gomme. Changer de gomme.
Embrasser quelqu'un.
Familier. Se dit à propos d'un baiser enflammé.

Gomme. Envoyer quelqu'un à la gomme.
Renvoyer un importun.
Autrefois, il était de coutume d'aller annuellement dans le bois, cueillir la gomme d'épinette, cette substance résineuse qu'on vendait aux fabricants de produits pharmaceutiques de Québec ou de Montréal, en sorte qu'envoyer quelqu'un à la gomme, c'est l'envoyer au loin, l'envoyer promener, le chasser.
Var. Envoyer quelqu'un sous le four, au balai, derrière la porte.
Parler des Can. fr.

Gorlot. Avoir l'air gorlot.
Avoir l'air benêt, imbécile, ridicule.
Référence au guerlot (gorlot) de pomme de terre, c'est-à-dire la patate d'une taille ridicule issue d'un plant monté en graine, avec laquelle on fait notamment la « soupe aux gorlots ».

Goût. Ne pas prendre goût de tinette.

Aller promptement, ne pas traîner.

Tinette: récipient pour la vidange. C'est-à-dire litté-ralement, ne pas avoir le temps de prendre le goût de la tinette, du récipient à vidange.

Chenailler.

« Ça n'a pas pris goût de tinette qu'il est parti, on lui avait préparé une de ces réceptions. »

Parler des Can. fr.

Gouttes. Se ressembler comme deux gouttes d'eau.

Se ressembler de manière frappante.

Civ. trad.

Grain. Se forcer le grain.

S'efforcer, faire de réels efforts.

« Il ne se force pas le grain pour descendre les poches de patates. »

Graine. Monter à la graine.

Devenir célibataire endurci.

Référence à la plante qui monte en graine, qui produit sa propre semence, mais ne donne plus de fruits. On utilise l'expression pour celui ou celle qui refuse le mariage.

Var. Monter en graine.

Litt. orale.

Graine. Une fille restée à graine.

Une fille demeurée célibataire.

Parler des Can. fr.

Graisse. La graisse ne l'étouffe pas.

Se dit d'une personne maigrelette.

Parler des Can. fr.

Grappins. Mettre les grappins sur quelqu'un.

Attraper quelqu'un.

F.C. Lui mettre le grappin dessus.

Parler des Can. fr.

Gras. Être gras dur.

Être rassasié, repu, prospère.

Se dit de quelqu'un qui possède tout ce dont il a besoin, qui n'a plus besoin de quoi que ce soit.

F.C. En avoir tout son saoul.

Gratteux. Être gratteux.

Être avare.

« Il est tellement gratteux qu'il n'a pas acheté de robe à sa femme depuis un an. »

Var. Être un baise-la-cenne, un baise-la-piastre.

F.C. Être grippe-sous.

Parler des Can. fr.

Grêlou. Être habillé comme un grêlou.

Être mal habillé, mal accoutré.

Grêlou: vraisemblablement une déformation populaire de *grelu*, misérable, gueux (XVIIIe-XIXe siècles).

F.C. Habillé comme un fagot.

Grenouille. Gelé comme une grenouille.

Très gelé, transi.

On sait que la grenouille hiverne dans la vase où son rythme circulatoire s'abaisse considérablement. Être gelé comme une grenouille c'est donc être gelé de part en part.

Var. Gelé jusqu'au trognon.

Parler des Can. fr.

Guédille. Avoir la guédille au nez.

Avoir la morve au nez.

Guédille: déformation de *godille,* aviron; autrement dit, avoir la morve qui coule du nez et qui ressemble à une godille.

Guenille. Chiquer la guenille.

Bouder.

L'expression anglaise se dit: « To chew the rag ».

Voir: **Mains.**

Guenilles. Neiger comme des guenilles.

Neiger paresseusement, avec lenteur.

« ...suivant une expression vieille de quatre-vingt ans, puisque c'était celle dont se servait un vieil oncle de quatre-vingt cinq hivers, il neigeait « comme des gue-nilles ». — *Almanach de l'Action sociale catholique,* 1927, p. 56.

Guêpes.

Voir: **Nid.**

Gueule. Avoir de la gueule.

Être convaincant, bavard, fonceur (verbalement).

Se dit de quelqu'un qui peut passer à travers toutes les situations grâce à son bagou. Traditionnellement *avoir de la gueule* n'était pas une valeur en soi mais bien plutôt un défaut.

Var. Être fort en gueule.

F.C. Avoir du bagou.

Gueule. Avoir la gueule de bois.

Être encore engourdi par l'alcool, avoir une mine maussade.

Se dit notamment de celui qui se lève tout mal en point après une cuite.

Gueule. Danser sur la gueule.

Danser au son de la voix plutôt qu'à celui d'un instrument.

« Dans la maison du pauvre, où l'on ne pouvait se payer le luxe d'un violoneux, on dansait « sur la gueule », c'est-à-dire que la musique ressemblait un peu à celle de la danse de guerre des Indiens. » — H. Berthelot, *Le bon vieux temps, p. 57.*

« La danse était également bien estimée quand il se trouvait quelque bûcheron musicien qui avait emporté son instrument [...]. S'il n'y avait pas de musique (sic) « on dansait sur la gueule ». — Massicotte, « La vie des chantiers ».

Gueule. Être fort en gueule.

Être gueulard, avoir une propention à engueuler tout un chacun.

Se dit de quelqu'un de bougon, de chicanier et qui se fait fort de s'engueuler avec tout le monde.

Parler des Can. fr.

Gueule. Parler avec la gueule en cul de poule.

S'exprimer avec affectation.

Péjoratif.

« À son retour des grandes Europes, il parlait avec la gueule en cul de poule même si c'était un pauvre petit gars de Saint-Nazaire. »

Var. Avoir la gueule en cul de poule; parler à la française.

Gueule. Se battre la gueule.

S'emporter verbalement.

Parler des Can. fr.

Voir: **Dur.**

Habitant. Avoir l'air habitant.

Avoir l'air rustre, mal dégrossi.

Ironiquement le mot *habitant,* qui s'emploie aujour-d'hui dans un sens péjoratif, était autrefois une appellation prisée; s'est ainsi que l'*habitant,* c'est-à-dire celui qui habitait sa « terre », son pays, préférait de beaucoup cette appellation à celle de *monsieur* plus courante alors dans la petite bourgeoisie citadine. *Var.* Avoir l'air colon.

Hache. Être à la hache.

Gagner sa vie comme bûcheron.

Parler des Can. fr.

Hache. Être sa hache.

Être sa spécialité.

Référence à la hache en tant qu'outil indispensable du bûcheron.

« C'est ma hache de faire du pain doré, il n'y a personne, je pense, pour m'accoter à ça! »

Voir: **Bois, Manche, Nez.**

145

Hareng. Maigre comme un hareng boucané.

Très maigre.

Comme le hareng fumé et ratatiné, celui qui souffre de maigreur n'en a pas beaucoup sur les os.

Civ. trad.

Heure. Donner l'heure à quelqu'un.

Dire sa façon de penser à quelqu'un.

Euphémisme.

Hier. N'être pas né d'hier.

N'être pas stupide ni inexpérimenté.

Pour signifier à autrui que l'on ne se laisse pas berner aussi facilement qu'il paraît.

Var. N'être pas né de la dernière pluie.

Hiver. Il fait plus frette l'hiver qu'en campagne.

Boutade énigmatique pour éluder une question importune ou à contretemps.

Hiver. Ne pas passer l'hiver.

Ne pas durer, survivre encore longtemps.

« Le vieux Barnabé ne va pas passer l'hiver, il va s'éteindre comme une chandelle, je te gage. »

Homme. Dételer un homme.

Décourager, débiner un homme.

Ne s'emploie qu'à la forme impersonnelle.

« Une épreuve comme celle-là, ça vous dételle un homme. »

F.C. Se faire désarçonner.

Parler des Can. fr.

Honneurs. Être dans les honneurs.

Être parrain ou marraine; laisser dépasser son jupon.

« Tu vas être dans les honneurs, ou tu vas aller aux noces (signifie: ton jupon dépasse). » — Marthe Hogue, *Un trésor dans la montagne,* p. 201.

« La première fois qu'on est dans les honneurs, si l'enfant est une petite fille, signe de bonheur pour le parrain, si c'est un petit garçon, signe de bonheur pour la marraine. » — Sœur Marie-Ursule, *Civilisation traditionnelle des Lavalois,* p. 163.

Horloges. Crier à démonter les horloges.

Crier à tue-tête, à gorge déployée.

« Quand il a gagné la partie de cartes, il s'est mis à crier à démonter les horloges. »

F.C. Pousser des cris de paon.

Parler des Can. fr.

Houle. Y avoir de la houle.

Se dit à propos d'une personne ivre, dont la démarche évoque celle d'un marin marchant sur le pont d'un navire dans une mer démontée.

Hue. Aller à hue et à dia.

Errer à l'aventure, être inconstant, avoir une marche erratique.

Se dit à propos de celui qui va d'un extrême à l'autre, moralement ou physiquement. *Hue* et *dia* sont des onomatopées qui furent largement utilisées autrefois pour la conduite des chevaux.

F.C. Aller à gauche et à droite.

(ill. 11)

Huître. Bouché comme une huître.

    Avoir l'esprit borné.

    Péjoratif. Se dit notamment de quelqu'un qui refuse d'entendre raison.

148

I

Ici. Long comme d'ici à demain.
Très long, ennuyant.
Se dit au sens moral et physique.
« Le député a prononcé un discours long comme d'ici à demain, il y en avait un tas qui bâillaient dans la salle. »

Image. Sage comme une image.
Très sage.
Se dit à propos d'un enfant.
Civ. trad.

Infirme. Être infirme avec ses deux bras.
Être malhabile, balourd.
Péjoratif.
« Il est infirme avec ses deux bras, pas moyen de lui faire réparer une poignée de porte. »
Voir: **Empoté.**

Invention. Marcher comme une invention.

Marcher rondement, merveilleusement.

Se dit au sens moral et physique.

« L'horloge marche comme une invention, elle n'a pas arrêté depuis dix ans. »

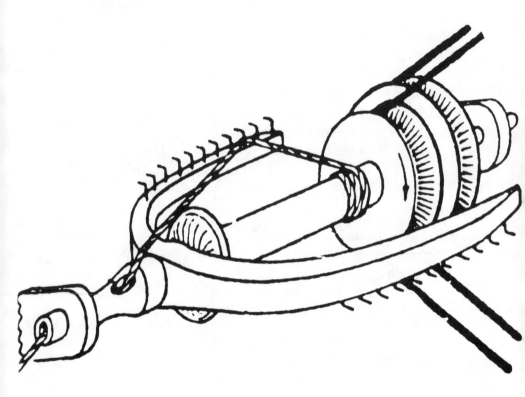

(ill. 12)

J

Jacques.
Voir: **Pierre.**

Jaloux. Boutonner en jaloux.

Passer les boutons dans les boutonnières qui ne leur correspondent pas, c'est-à-dire boutonner à contre-sens.

Jambes. Avoir les jambes à la pisse.

Avoir les jambes arquées.

Familier. Se dit surtout d'une femme dont la courbe particulière des jambes rappelle l'attitude de celui qui a fait dans sa culotte.

Jambes. Avoir les jambes en guenille.

Avoir les jambes flageolantes.

Jambes. S'exciter le poil des jambes.

S'énerver, s'impatienter.

S'emploie à la forme négative, pour dire de ne pas se faire de mauvais sang pour rien.

« Excite-toi pas le poil des jambes, il n'y a pas de presse! »

Jardin. Quand tu auras fait le tour de mon jardin...
Quand tu auras mon expérience...
Se dit à l'endroit de qui n'a pas d'expérience, pour lui signaler son manque de maturité.

Jarnigoine. Avoir de la jarnigoine.
Être volubile, rusé, avoir de l'initiative, être débordant d'énergie, avoir une tête, de l'intelligence.
Les significations qu'en donne le *Glossaire du parler français au Canada* sont quelque peu différentes: habileté, talent, initiative, intelligence, amabilité, audace, effronterie.

Jars. Faire son jars.
Faire son pédant, se vanter, se gourmer.
« Ti-Gus fait son jars devant les créatures, mais attends que son père l'attrape. »
Var. Faire son frappe-à-barre.

Jean Lévesque. Faire son petit Jean Lévesque.
Faire son chef, vouloir en montrer à plus savant que soi.
Péjoratif. A servi de titre à un conte écrit par Roland Lamontagne, « Fais pas ton p'tit Jean Lévesque », dans la *Revue d'histoire de la Gaspésie,* vol. III, no 1, janvier-mars 1967.
« Ça fait que Tipite Vallerand ayant plus d'ordre à recevoir de personne, nous en donnait sus les quat' faces, et *faisait son petit Jean Lévesque...* » — « Tipite Vallerand », *in* Louis Fréchette, *Contes de Jos Violon,* p. 16.
Var. Faire son Jos connaissant.

Jésus. Le p'tit Jésus peut bien être pauvre.

Exclamation énigmatique proférée à l'occasion d'un événement inattendu. Pour marquer sa surprise.

Jeunesse. Faire sa jeunesse.

Faire le poltron, sa cour.

En d'autres mots, agir comme un jeune homme.

Trésor ds montagne.

Job. Pauvre comme (le bonhomme) Job.

Très pauvre, démuni de tout.

Comparaison inspirée d'un récit biblique bien connu.

Civ. trad.

Jour. Bon comme le jour.

D'une grande bonté.

« Il était bon comme le jour, voilà pourquoi tout le monde l'a exploité. »

Se dit au sens moral.

Var. Bon comme du bon pain.

Litt. orale.

Jour. Clair comme le jour.

Lumineux, limpide, sans erreur possible.

Se dit au sens moral.

« C'était clair comme le jour, le procès a d'ailleurs démontré sa culpabilité. »

Var. Clair comme de l'eau de roche.

Parler des Can. fr.

Jour. Ne plus s'en ressentir le jour de ses noces.

Ne plus s'en souvenir peu de temps après.

Se dit pour convaincre autrui d'accomplir quelque

chose qui lui rebute ou encore pour le consoler d'un malheur immédiat.

« Ta peine d'amour, je te dis, tu ne la sentiras plus le jour de tes noces. »

Trésor ds montagne.

Jour. Servir quelqu'un le jour de ses noces.

Se dit pour appuyer une demande de service à autrui.

« Aide-moi donc à transporter ce baril, je te servirai le jour de tes noces. »

Journée. Avoir sa journée dans le bras.

Être fatigué de sa journée, être fourbu.

Var. Avoir sa journée dans le corps.

Parler des Can. fr.

K

Ketchup. L'affaire est ketchup.
La situation est au mieux, cela est surprenant.

Kick. Avoir le kick sur quelqu'un, quelque chose.
Avoir un engouement pour quelqu'un, quelque chose.
(« Kick », angl.: coup de pied.)
Var. Être bandé sur quelqu'un, quelque chose. Familier.
F.C. Avoir un faible pour quelqu'un, quelque chose; avoir le béguin.

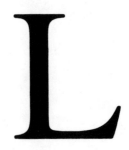

Labours. Faire des labours d'automne.

Se dit à propos d'un jeune couple, lorsque la femme est devenue enceinte avant le mariage; plus généralement, se dit pour devancer l'échéance d'un événement.

Lacets. Ne pas manger ses lacets de bottines.

Ne pas s'énerver, s'exciter inutilement.

Ne s'utilise qu'à l'impératif. Exhortation à garder son calme, à ne pas céder à l'énervement.

Laine. Se laisser manger la laine sur le dos.

Se laisser exploiter.

F.C. Se laisser tondre.

Voir: **Québécois.**

Lait. Retenir son lait.

Se laisser désirer, se faire attendre.

Allusion à la mère allaitant son bébé et qui retarde volontairement la tétée.

« Je te dis que le notaire retenait son lait à la lecture de l'acte d'héritage. »

Langue. Avoir une grande (grand') langue.

Être bavard, panier percé.

Var. Avoir une grand' gueule.

Langue. Donner sa langue au chat.

Avouer son ignorance.

Se dit à propos d'une question dont on ignore totalement la réponse.

« Je donne ma langue au chat, j'ignore qui est le premier ministre du Québec. »

Langue. La chatte a mangé la langue de quelqu'un.

Se dit d'une personne qui garde le silence suite à une question qui lui est posée.

« Pourquoi ne réponds-tu pas, la chatte t'a mangé la langue? »

Trésor ds montagne.

Lapin. Chaud(e) comme un lapin.

Affectueux (affectueuse).

Se dit d'un individu manifestant particulièrement son affection. Allusion aux singulières capacités de pro-création de ce rongeur et particulièrement à son appétit sexuel.

Var. Chaud(e) comme un chatte en chaleur; être chaud lapin.

Lapin. En criant lapin.

Instantanément, sur-le-champ.

« Georgette a fait son gâteau en criant lapin, quel exploit, hein? »

Lapin. Manger comme un lapin.

Manger de façon désordonnée.

Se dit de quelqu'un qui mange n'importe comment et dans n'importe quelle position; se dit également de celui qui grignote ou qui mange sur le pouce au lieu de prendre un repas substantiel.

Large. Pousser quelqu'un au large.

Poursuivre quelqu'un, le chasser.

Formule vraisemblablement issue du vocabulaire marin.

Large: qui est à distance des côtes.

Larmes. Pleurer des larmes de crocodile.

Feindre d'avoir de la peine, pleurer sans repentir.

Se dit généralement des enfants qui feignent hypocritement le repentir et recommencent aussitôt à désobéir.

Lavage. Faire son lavage à la main.

Se masturber.

Var. Se faire aller; faire marcher son petit moulin.

Liche-la-piastre. Être un liche-la-piastre.

Être avare.

Liche: lèche.

« Séraphin, ce maudit gratteux, est un vrai liche-la-piastre. »

Var. Être un baise-la-piastre. *(Civ. trad.)*

Voir: **Serre-la-piastre.**

Parler des Can. fr. Civ. trad.

Lièvre. Baiser son lièvre.

Se dit lorsque quelqu'un donne un avis ou offre quelque chose et que l'autre le refuse. Par dépit, celui-ci dira alors « Baise ton lièvre », voulant dire un peu « Va te faire pendre! »

Lièvre. Fou comme un lièvre dans les avants.
Nerveux, intenable.
Comparaison amusante. Familier.

Lièvre. Peureux comme un lièvre.
Très craintif.
Comme le lièvre, celui qui est craintif se sauve pour un rien.

Lièvre. Plumer son lièvre.
Vomir en état d'ivresse.
Var. Câler l'orignal.

Linge. Il ne mange pas de linge, les boutons l'écœurent.
Il ne fait pas de plus grande bêtise de crainte des représailles.
Boutade familière.
Parler des Can. fr.

Linge. Laver son linge sale en famille.
Régler une chicane entre gens concernés.

Lion. Fort comme un lion.
Très fort.
Var. Fort comme la mort.
Litt. orale.

Livre. Parler comme un grand livre.
Parler avec sagesse, sagacité.
Jadis, celui qui savait lire jouissait d'une estimable réputation. *Parler comme un grand livre* était le fait

de l'homme instruit, de celui qui avait acquis une certaine sagesse à travers les livres.

Var. Être un vrai livre. (Être une source d'érudition.)

Lodé. Être lodé au boute (bout).

Être très riche, bourré d'argent.

Lodé (« loaded », angl.: chargé.)

F.C. Être riche à craquer.

Loges. Fou à mener aux loges.

Idiot.

Formule savante.

F.C. Fou à lier.

Parler des Can. fr.

Loup. Manger comme un loup.

Manger beaucoup, avec voracité.

Var. Manger comme un cochon.

Civ. trad.

Loup. Noir comme chez le loup.

Obscur.

Allusion à la tanière du loup qui baigne dans l'obscurité la plus complète.

« Tout était noir comme dans le fond d'un four, *noir comme chez le loup!* » — Féchette, *Contes de Jos Violon,* p. 91.

Trésor ds montagne.

Civ. trad.

Loups. C'est là que les loups jappent après la lune pour avoir de la galette.

Se dit d'un lieu reculé, isolé, loin de toute civilisation.

Formule plaisante.

Loutre. Grasse comme une loutre.

Très grasse.

Se dit d'une femme. Descriptif.

Voir: **Voleur.**

Lumière. Ne pas être une lumière.

Ne pas être intelligent, perspicace.

« Ce n'est pas une lumière, toujours les deux pieds dans la même bottine. »

Var. Ne pas être une cent watts, (allusion à une ampoule de cette intensité).

Lumières. Allumer ses lumières.

S'ouvrir les yeux.

Se dit au sens moral. Comme on fait de la lumière pour y voir plus clair, on s'ouvre les yeux devant la réalité crue.

« Allume tes lumières, ti-Paul, on est en train de te manger la laine sur le dos. »

Lunch. Porter le lunch.

Suivre autrui.

Se dit à propos de celui qui est le dernier dans un groupe, qui suit toujours. Péjoratif. Euphémisme familier.

Lune. Attendre une lune.

Attendre longtemps.

Influence amérindienne perceptible dans cette locution; en effet, la vie des Amérindiens était réglée d'après le cycle lunaire et non pas d'après les jours.

« Ti-Gus va attendre une lune avant que je lui remette son boghei! »
Litt. orale.
Voir: **Chiens.**

M

Madeleine. Pleurer comme une Madeleine.

Pleurer sans arrêt, à chaudes larmes.

Référence à Marie-Madeleine, personnage biblique très connu.

« Elle a pleuré comme une Madeleine quand son amoureux est parti à la guerre. »

F.C. Pleurer comme une fontaine.

Litt. orale.

Maigre. Le maigre des fesses lui en tombe.

Se dit pour qualifier quelqu'un qui est en proie à la frayeur. Formule plaisante.

« Il avait si peur de sa femme que le maigre des fesses lui en tombait chaque fois qu'il la voyait. »

Parler des Can. fr.

Mains. Avoir les mains en guenille.

Tout laisser tomber, être maladroit.

Se dit de quelqu'un dont les mains sont si peu assurées ou qui tremblent tellement qu'il ne peut rien tenir.

Civ. trad.
Voir: **Jambes.**

Mains. Avoir les mains en pouces.
Être malhabile de ses mains, maladroit.
Péjoratif. Rodomontade. Se dit de celui qui semble incapable de travailler de ses mains ou qui ne cesse de tout laisser tomber.
Parler des Can. fr.
Civ. trad.

Maison. Casser maison.
Se dit pour toute une famille du fait de se disperser.
« Après la mort de la mère, ils ont dû casser maison drette là. »

Maîtresse d'école. Être corsée comme une maîtresse d'école.
Avoir la taille très fine.
Allusion à la maîtresse d'école d'autrefois qui était souvent maigrelette, « pincée » et toujours sèche d'apparence.
Litt. orale.

Maîtresse d'école. Être savant comme une maîtresse d'école.
Être érudit.
Allusion à la maîtresse d'école du village qui passait autrefois pour être la personne la plus instruite de son patelin, avec le curé et « M. le docteur ».

Mal à main. Faire son mal à main.
Faire le dissipé, le difficile.

« I m'a répond: « Fais pas ton mal à main ni ton fort à bras, ou je m'en vas t'flanquer une morni- fe. » — Rodolphe Girard, *Marie-Calumet,* p. 71.

Manche. Au temps qu'on se mouchait sur la manche.
Il y a bien longtemps, jadis.
Autrefois, les cultivateurs n'ayant pas de mouchoir, avaient coutume de se moucher sur la manche, d'où l'expression.

Manche. Couper comme un manche de hache.
Couper mal, être émoussé.
« Le couteau à viande coupait comme un manche de hache, on a dû finalement le faire aiguiser. » *Parler des Can. fr.*

Manche. Être franc dans le manche.
Être un bon travailleur.
Se dit de celui qui accomplit son travail avec régula- rité, sans rechigner. Par opposition, on dira d'un indécis qu'il « branle dans le manche ».
Var. Être franc dans le collier *(Parler des Can. fr.),* du collier.
Parler des Can. fr.

Manche. Gros comme un manche à balai.
Maigrelet.
« C'était drôle de les voir, lui, gros comme un manche à balai et elle, cette grosse toune qui n'arrêtait pas de manger. »
Var. Gros comme un cure-dents, une allumette.
Civ. trad.

Marche. Parler comme il marche.

Parler mal, avec vulgarité.

Péjoratif. Se dit de quelqu'un qui tient un langage déplacé.

Civ. trad.

Marde. Fou comme (de) la marde.

Idiot, écervelé, très agité.

« Le chien, lorsqu'il nous vit, devint fou comme de la marde. »

Marde. Manger de la marde.

Essuyer des difficultés, des revers, être semoncé vertement.

Familier.

Var. Manger un char de marde.

Marde. Rare comme de la marde de pape.

Rarissime, précieux.

Boutade familière.

« On ne trouve plus de crème à fouetter, c'est devenu rare comme de la marde de pape. »

Parler des Can. fr.

Marde. Y avoir de la marde dans l'air.

Y avoir quelque chose de louche; de surprenant.

Se dit d'un événement inattendu, pour exprimer sa surprise, son étonnement. Illustre le goût du populaire pour les tournures scatologiques.

Voir: **Bout.**

Marée. Faire marée.

Se dit pour « traverser une marée et ne revenir

qu'à l'autre. » — M. Rioux, *Culture de l'Île Verte,* p. 71.

Margoulette. Casser la margoulette à quelqu'un.
Violenter quelqu'un, le battre.
Littéralement, *briser la mâchoire* à quelqu'un. Margoulette vient du latin *gula* qui signifie « gueule ». Dans le langage populaire, en France, le mot s'emploie pour *bouche, mâchoire.* L'expression ne s'emploie plus que dans un sens atténué, quasi bon enfant. Nul, en effet, ne dirait aujourd'hui *casser la margoulette,* s'il était en colère, il dirait plutôt *casser la gueule. Margouiller,* en Normandie, a le sens de *manger salement.*

Marmotte. Dormir comme une marmotte.
Dormir d'un sommeil profond.
Descriptif. Issu de l'observation commune.
F.C. Dormir comme un loir.
Civ. trad.

Mars. Arriver comme mars en carême.
Se présenter à propos.
La formule se retrouve également en France.

Mèche. En avoir pour une mèche à attendre.
En avoir longtemps à attendre.
Allusion à la mèche de la lampe à l'huile qui servait très longtemps avant que l'on eût à la remplacer.
Parler des Can. fr.

Médaille.
Voir: **Chien.**

Mélasse. Être reçu comme la mélasse en carême.

Être bien reçu, à bras ouverts.

« Et, comme Fifi Labranche avait pas oublié son ustensile, je vous garantis qu'on fut reçus comme la m'lasse en carême. » — Fréchette, *Contes de Jos Violon,* p. 87.

Mémoire. Avoir une mémoire de chien.

Posséder une mémoire phénoménale, étendue.

Selon la croyance populaire, tous les animaux, entre autres, le singe et le chien, possèdent une mémoire remarquable. Ce qui est singulier ici, c'est qu'on a remplacé *éléphant* par *chien* et *singe,* peut-être bien parce que ces animaux nous sont plus familiers.

« Tante Lise avait une mémoire de chien pour les noms. »

Var. Avoir une mémoire de singe.

F.C. Avoir une mémoire d'éléphant.

Mère. S'ennuyer de sa mère.

Espérer anxieusement l'issue d'une affaire.

Se dit d'une situation nettement insupportable. À propos de l'attitude de celui qui la subit. « Il s'est fait brasser le canayen au cours de son enterrement de vie de garçon, on sentait qu'il s'ennuyait de sa mère. »

Mère moutonne. Ne pas barrer quelqu'un pour une mère moutonne.

Ne pas vouloir, pour tout au monde, échanger la compagnie de quelqu'un pour celle d'un autre.

Se dit entre amoureux. *Barrer: échanger,* en français ancien.

Merle. Fin comme un merle.

Très perspicace, subtil.

Var. Fin comme une mouche.

Civ. trad.

Midi. Être midi à quatorze heures.

Être lambin, toujours en retard.

Midi. Ne pas attendre midi à quatorze heures.

Ne pas attendre longtemps, n'être pas d'une patience illimitée.

Notamment, avertissement à l'endroit de celui qui a l'habitude de faire poiroter autrui: « Je t'avertis en ami, j'attends pas midi à quatorze heures, moi! »

Mille. Courir son mille.

Filer, fuir à toute vitesse.

Minot. Passer le minot à la baguette.

Ne pas combler la mesure, ne pas en mettre plus qu'il en faut.

C'était coutume autrefois, chez les marchands de céréales, de *passer le minot à la baguette,* c'est-à-dire de passer une baguette sur le minot débordant de grains afin d'en éliminer l'excédent qui constituait une perte pour le marchand, d'où l'expression.

Minoune. Farder une minoune.

Enjoliver une vieille automobile, en maquiller les imperfections.

S'emploie notamment par les vendeurs de voitures d'occasion.

« Il a fardé c'te minoune pour la revendre le double du prix qu'elle lui avait coûté. »

Misère. Être mangé par la misère.

Être dans une misère inouïe, dans un état de prostration profonde.

Se dit de celui qui, par suite de difficultés sans nombre, se trouve ruiné, épuisé dans tous les sens du mot

Var. Rongé par la misère.

Litt. orale.

Mitt. Taper dans la mitt.

Être moche, inélégant, laid.

Ne s'emploie qu'à l'impersonnel: « Ça tape dans la mitt! » (« *Mitt* », angl.: mitaine, gant.)

Var. Faire dur: faire pic pic.

Moine. Gras comme un moine.

Très gras.

Voir: **Voleur.**

Mollo. Prendre ça mollo.

Ne pas s'énerver, se détendre.

Par exemple, à l'occasion d'un revers quelconque: « Prends ça mollo, il ne faut pas s'en faire avec ça! »

Var. Prendre ça « cool », (angl.: frais); prendre ça frette.

Monde. Y avoir du monde à la messe.

Y avoir foule.

Familier.

« Pas moyen de se trouver une place, il y avait du monde à la messe à l'assemblée politique! »

Monde. Y avoir trop de monde pour faire la soupe.
Y avoir trop de monde impliqué.
Se dit pour éloigner les gêneurs.
Parler des Can. fr.

Monde. Venir au monde le jour de sa fête.
Être innocent, inexpérimenté.

Monnaie. Payer en monnaie de singe.
Ne pas payer du tout, payer en belles réparties.
L'origine de cette locution, d'après Rat, *(Dictionnaire des locutions française,* p. 363) remonterait au XIIe siècle et serait consignée dans le *Livre des Mestiers;* selon ce livre, en effet, d'après un règlement édicté par saint Louis, les montreurs de singes ou joculateurs qui voulaient passer par le Petit-Pont reliant l'île Notre-Dame au quartier Saint-Jacques, à Paris, avaient le privilège de ne pas acquitter le passage s'ils faisaient gambader leur singe devant le péage.
L'anglais dit: « *To bilk someone* ».

Montagnes. Se faire des montagnes avec des riens.
Exagérer la difficulté.
Se dit à propos d'une attitude défaitiste.
Parler des Can. fr.

Morfondure. Être atteint de morfondure.
Prendre froid, avoir froid.
Se morfondre, qui signifie aujourd'hui s'ennuyer à attendre, voulait dire autrefois *prendre froid, être transi.*

Mors. Prendre le mors aux dents.
Prendre peur, panique, s'énerver, s'encolérer.
Var. Monter sur ses grands chevaux.

Mort. Ennuyant comme la mort.
Très ennuyant.
« Ce concert est ennuyant comme la mort. »
Parler des Can. fr.

Mort. Mourir de sa belle mort.
Mourir de mort naturelle.
Parler des Can. fr.

Mort. Pâle comme la mort.
Très pâle, blême.
Se dit du teint d'une personne.
Parler des Can. fr.

Mort. Tenir ça mort.
Ne pas soulever le sujet, rester coi, muet.
« Tiens ça mort! il ne faut pas que ti-Gus apprenne
la mort de son cheval. »

Mort. Tranquille comme la mort.
Très tranquille, silencieux, immobile.
« Cette maison est tranquille comme la mort. »
Litt. orale.
Voir: **Cris.**

Morue. Boire comme une morue.
Boire beaucoup, avec avidité.
Se dit d'une personne qui aime prendre un coup, un
verre.

(ill. 13)

Motton. Avoir le motton.

Être riche, avoir beaucoup d'argent.

Var. Avoir la galette, la mesoune.

F.C. Avoir le magot.

Mouche. Dru comme mouche.

Très dru.

Parler des Can. fr.

Mouche. Être une mouche à marde.

Être collant, suiveur.

Se dit de celui qui colle aux talons d'autrui. Notamment chez les jeunes.

Mouche. Fin comme une mouche.

Rusé, perspicace.

S'emploie au sens moral. Se dit notamment d'une femme.

« Elle est fine comme une mouche, pas moyen de l'attirer avec de belles paroles. »

Parler des Can. fr.

Mouche. Prendre mouche.

Se mettre en colère, s'emporter.

Allusion à la mouche qui pique douloureusement le cheval qui se met alors à ruer de colère et de douleur.

Var. Prendre la mouche, les mouches.

Mouche. Vif comme une mouche.

Très vif, agile, espiègle.

« Ti-Charles qui est vif comme une mouche s'est

rapidement sauvé après avoir volé quelques pommes
chez le voisin. »
Parler des Can. fr.

Moucher. Se faire moucher.
Se faire donner une leçon.
Var. Se faire donner une mornifle.

Mouches. Se faire mettre les mouches.
Recevoir une correction, une semonce.
Référence à la « mouche de moutarde », ce cataplas-
me que nos mères appliquaient sur la poitrine de qui
était atteint de la grippe, et qui brûlait littéralement
la peau.
Parler des Can. fr.

Moulin. Parler comme un moulin à coudre (sic).
Parler sans arrêt, être volubile.
Moulin à coudre: machine à coudre. Comme la
machine à coudre fonctionne sans arrêt, le bavard
n'arrête pas de parler pour ne rien dire.
Var. Parler comme un moulin à battre, comme une
machine à coudre, une pie.
Voir: **Dévidoi'.**
Parler des Can. fr.

Mouton. Doux comme un mouton.
Très doux, inoffensif, sans malice.
« Comment aurait-il pu tuer le vieux Charles, il est
doux comme un mouton. »
Var. Doux comme un agneau.
Litt. orale.

Mouton. Être mouton.

Être suiveux, manquer de caractère.

Mouton. Frisé comme un mouton.

Très frisé.

À propos des cheveux.

« Le petit saint Jean-Baptiste était frisé comme un mouton. »

Mouton. Partir comme un mouton.

Mourir sans lamentation, sans manifestation intem-pestive.

« Il est parti comme un mouton, on ne s'est même pas aperçu qu'il venait de mourir. »

Voir: **Chandelle.**

Parler des Can. fr.

Moyens. Être en moyens.

Être à l'aise financièrement.

« Il est en moyens, il ne se mouche pas avec des quartiers de terrine. »

Parler des Can. fr.

Mule. Être têtu comme une mule.

Être excessivement têtu.

Var. Avoir de la mule; être mule.

Mulet. Chargé comme un mulet.

Très chargé.

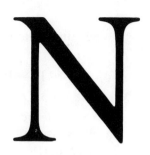

Nègre. Avoir un plan de nègre.

Avoir un projet insensé, irréalisable.

« Il était pété au frette, il avait un vrai plan de nègre pour se sauver de la conscription mais ça n'a pas marché. »

Parler des Can. fr.

Nègre. Déculotter un nègre.

Boutade amusante. Se dit lorsque deux personnes profèrent une parole identique au même moment.

Neige. Être blanc comme neige.

Être innocent, moralement irréprochable.

Se dit au sens moral.

« À l'entendre au procès, il était blanc comme neige, n'ayant rien à se reprocher. »

Civ. trad.

Neiger. Avoir vu neiger avant aujourd'hui.

Avoir vécu, avoir de l'expérience.

Se dit notamment de celui qui pense nous avoir berné.

Var. Ne pas être né de la dernière pluie.

Nerf. Ne pas se piler sur le gros nerf.

Ne pas s'énerver, se hâter.

Ne s'emploie qu'à l'impératif: « Pile-toi pas sur le gros nerf! » En voulant dire par dérision, *ne te dépêche pas, prends ton temps.*

Nerfs. Poigner les nerfs.

Se mettre en colère, perdre tout contrôle sur soi.
Var. Poigner le nerf, tomber dans les bleus.
F.C. Perdre son sang-froid.

Newfie. Être newfie.

Être imbécile, nigaud.

A l'origine, se disait à propos des habitants de Terre-Neuve; ceux-ci, d'après l'opinion populaire, seraient un tantinet nigauds, du moins si on en croit une série d'histoires amusantes qui circulent sur leur compte. D'ailleurs, tous les peuples se donnent mutuellement ce genre de sobriquets, toujours farfelus et dénués de fondement, et qui sont dits généralement sans malice. Ainsi « Pea Soup » (Québécois), « Tête carrée » (Canadian anglais), etc.

Var. Être épais dans le plus mince.

Nez. Avoir le nez comme un taillant de hache.

Avoir le nez recourbé.
Litt. orale.
Civ. trad.

Nez. Faire baisser le nez à quelqu'un.

Réprimander quelqu'un, le semoncer.

« Le professeur lui a fait baisser le nez à cause de ses mauvaises notes ce mois-ci. »

Parler des Can. fr.

Nez. Mettre le nez de quelqu'un dedans.

Faire subir à quelqu'un la conséquence de ses actes, le punir.

Allusion au dressage du chien, quand on le force à mettre le nez dans ses excréments afin de l'amener à aller faire ses besoins là où il faut.

Parler des Can. fr.

Nez. Se faire péter le nez.

Recevoir une gifle, une claque, une râclée.

Par ailleurs, on dira « péter le nez, la fraise à quelqu'un » pour *lui donner une râclée.*

Var. Se faire péter la fraise.

Parler des Can. fr.

Nez. Se faire tordre le nez.

Recevoir une correction, une râclée.

Parler des Can. fr.

Nid. S'asseoir sur un nid de guêpes.

Se créer soi-même des ennuis.

Se dit de celui qui s'attire des ennuis par sa propre étourderie.

Parler des Can. fr.

Noces. Aller comme à des noces.

Aller bien, sans anicroches.

« Il a gagné son procès, ça a été comme à des noces. »
Var. Aller comme sur des roulettes.

Noces. Être aux noces.
Être parfaitement heureux, satisfait de son sort.
Var. Être aux petits oiseaux, aux as.
F.C. Être au septième ciel.
Litt. orale.

Noces. Faire noces de chien.
Se marier pour la seule satisfaction physique.
Péjoratif. Expression qui n'a plus guère cours.

Noces. Gai comme aux noces.
Très gai, joyeux.
« Si vous l'aviez vu à cette soirée, il était gai comme aux noces. »
Civ. trad.

Noces. N'avoir jamais été à de telles noces.
Ne s'être jamais fait traiter de la sorte.
Se dit lorsqu'on reçoit un mauvais traitement.

Noces. N'être pas aux noces.
Être dans une situation pénible, difficile, contraignante.

Noces. Tant qu'à des noces.
Abondamment, à satiété.
La coutume veut que les noces soient l'occasion de ripailles, de bonne chère, d'où l'allusion. *Manger, boire tant qu'à des noces.*

Noces. Y aller comme aux noces.

Partir joyeusement pour une expédition risquée.

Voir: **Jour, Tambourin.**

Nœuds. N'être pas clair de nœuds.

N'être pas sans défaut, sans faille.

Allusion à l'arbre qui n'est jamais sans nœud, à cause des branches.

Nombril. Se prendre pour le nombril du monde.

Se donner une importance exagérée.

« Ti-Gus se prenait toujours pour le nombril du monde, il n'arrêtait pas de régenter tout un chacun. » *F.C.* Se croire.

Nombril. Se regarder le nombril.

Se complaire de son image.

Nu. Être tout nu dans la rue.

Être très pauvre, démuni financièrement.

On parlera aussi d'un *tout nu* ou d'un *tout nu dans la rue* pour qualifier un pauvre.

« Il n'est pas tout nu dans la rue, le père Latraverse, il peut payer. »

Oeil.
> Voir: **Pied.**

Oeuf. Donner un œuf pour avoir un œuf.
> *Accorder une faveur et s'attendre à la même chose en retour.*
> Péjoratif. À propos de celui qui ne donne qu'en espérant la réciproque.
> *F.C.* Donner un œuf pour avoir un bœuf, (s'attendre à recevoir plus que ce qu'on a donné).

Oeuf. Être assez gratteux pour tondre un œuf.
> *Être avare.*

Oeuf. Paqueté comme un œuf.
> *Ivre mort.*
> Paqueté (« pack », angl.: empaqueter).
> « Après douze bières, il était paqueté comme un œuf. »
> *Var.* Rond comme un œuf.

Oeuf. Tomber gros comme un œuf.

Se dit de la neige ou de la pluie qui tombe abondamment.

Officiel. Être officiel.

Être certain, sûr.

« Tu as raison cent pour cent, c'est officiel. »

Oies. Sentir les petites oies.

Sentir mauvais.

À propos d'un individu, pour dire qu'il dégage une odeur nauséabonde.

Var. Sentir le petit canard la patte cassée.

Oignons. Se mêler de ses oignons.

S'occuper de ses propres affaires.

« Mêle-toi de tes affaires, petit écornifleux. »

Var. S'occuper de ses oignons.

Oignons. Traiter quelqu'un aux petits oignons.

Traiter quelqu'un avec tous les égards.

Oiseau.

Voir: **Cervelle.**

Oiseau. Être comme un oiseau sur la branche.

Être instable, ne pas tenir en place.

Oiseau. Léger comme un oiseau.

Dénué de souci, très léger.

« Après sa confession au curé, le père Charles était léger comme un oiseau. »

Litt. orale.

Oiseau. Libre comme l'oiseau dans l'air.

D'une liberté absolue.

Parler des Can. fr.

Oiseaux. Être aux oiseaux.

Être tout à fait heureux.

« Avec cinq serviteurs pour le servir, il était aux oiseaux. »

Var. Être aux petits oiseaux.

Civ. trad.

Ombre. Lent comme l'ombre du midi.

Très lent.

« Pépère était lent comme l'ombre du midi à s'habiller, il fallait toujours l'attendre pour aller à la messe. »

Parler des Can. fr.

Oreilles. Avoir les oreilles dans le crin.

Avoir un air menaçant, être de mauvaise humeur.

Allusion à l'attitude du cheval en colère.

« À la suite de l'héritage en faveur des autres membres de la famille, il a eu les oreilles dans le crin pendant un an. »

Parler des Can. fr.

Civ. trad.

Oreilles. Avoir les oreilles molles.

Être paresseux.

« Ce gars a les oreilles molles, pas moyen de lui faire déplacer ces poches de patates. »

Var. Avoir les oreilles longues.

Parler des Can. fr.

Civ. trad.

Oreilles. Commencer à coucher les oreilles.
Se mettre en colère.
Parler des Can. fr.

Oreilles. Droit comme des oreilles de lapin.
Dressé.
Se dit des végétaux dont la tige est dressée à la suite d'une averse.

Oreilles. Se faire frotter les oreilles.
Recevoir une correction.
Se dit surtout à propos des enfants qui se font semoncer.
Var. Se faire tirer, sonner les oreilles.
Voir: **Corps.**

Orémus. Faire des orémus.
Dire ses prières.
Île Verte.

Orignal. Câler l'orignal à côté de la bolle.
Vomir à côté de la cuvette.
Câler (« to call », angl.: appeler). Bolle, (« toilet bowl », angl.: cuvette). Se dit d'une personne ivre qui, par urgence, vomit à côté de la cuvette. Allusion au cri particulier de l'orignal qui ressemble au bruit rauque que fait la personne s'apprêtant à vomir.

Os. Être mouillé jusqu'aux os.
Être trempé de part en part.

Ours. Avoir mangé de l'ours.
Être de mauvaise humeur; être enceinte.

Ours. Dormir comme un ours.

Dormir d'un sommeil profond.

F.C. Dormir comme un loir.

Ours. Fort comme un ours.

Très fort, robuste.

Se dit d'un individu.

« Louis Cyr était fort comme un ours, et bâti comme un pan de mur. »

Var. Fort comme un matamore.

Ours. Manger comme un ours.

Manger beaucoup, avec gloutonnerie.

Allusion au grand appétit de ce carnassier.

Parler des Can. fr.

Voir: **Peau.**

Overalls. Enfirwâper ses overalls.

Enfiler sa salopette.

(« Overalls », angl.: salopette.) S'emploie dans la région de la Mauricie.

Page. Raisonner comme un page.

Raisonner mal, sans argument fondé.

Enoncé savant; ne s'emploie que rarement.

Var. Raisonner avec ses pieds.

Parler des Can. fr.

Paille.

Voir: **Derrière.**

Pain. Bon comme du pain bénit.

Très bon.

Se dit de la bonté morale d'un individu. Le pain bénit le jour de la Pentecôte passait pour avoir des propriétés merveilleuses. Être « bon comme du pain bénit », c'est donc posséder des qualités hors pair.

Var. Bon comme du bon pain.

Parler des Can. fr.

F.C. Bon comme le bon pain.

Pain. Être né pour un petit pain.

Être né pour vivre dans la gêne, la pauvreté.

Un vieil adage populaire: « Quand on est né pour un petit pain, on reste avec un petit pain. »

Pain. Grossier comme un pain d'orge.
Très grossier, impoli.
Allusion à la texture passablement grossière du pain d'orge.

Pain. Le pain des noces dure encore.
Se dit des époux qui continuent longtemps après le mariage à se témoigner mutuellement de l'affection.

Pain. Ne pas ambitionner sur le pain bénit.
Ne pas exagérer, ambitionner.
S'emploie à l'impératif. On dit également « ambitionner sur le pain bénit » pour *exagérer, en exiger trop*.
« Tu as eu assez de chocolat, ambitionne pas sur le pain bénit. »
Trésor ds montagne.
Parler des Can. fr.

Pain. Ôter le pain de la bouche de quelqu'un.
Priver quelqu'un de l'essentiel.
On dit *s'ôter le pain de la bouche* pour se priver (pour autrui).
« Ce spéculateur a ôté le pain de la bouche de ce pauvre père de famille et l'a jeté, lui et les siens, à la rue. »
Parler des Can. fr.

Pain. Perdre un pain de sa cuite.
Perdre une partie de son acquis.

« Pauvre père Bernard, un de ses fils est parti à la ville aujoud'hui; il vient de perdre un pain de sa cuite. »

Var. Perdre un pain de sa fournée.

Parler des Can. fr.

Pain. Pouvoir manger un pain sur la tête de quelqu'un.

Être de taille supérieure à autrui.

« Il avait cessé d'agiter la machine et fait une couple de pas en avant, parlant presque sous le menton de Marie Calumet. Celle-ci, pour employer la vieille locution canadienne, pouvait lui manger un pain sur la tête. » — Rodolphe Girard, *Marie Calumet,* p. 151.

Voir: **Croûte.**

Pains. Partir comme des petits pains chauds.

Disparaître rapidement.

Se dit d'une marchandise ou d'une denrée qui disparaît rapidement par suite d'une grande demande.

Var. Se vendre comme des petits pains chauds.

Pair. Mettre du temps à faire son pair.

Se faire attendre.

Allusion à la traite de la vache, quand on s'attarde par trop à terminer l'opération.

Var. Mettre du temps à faire son pis.

Parler des Can. fr.

Palette. Avoir la palette du genou plate.

Être paresseux.

Comme le paresseux se cherche toutes sortes d'excuses invraisemblables, celui qui a *la palette du genou plate* ne peut naturellement s'adonner à aucun travail.

Panier. Être un panier percé.
Être un délateur.
Se dit notamment entre enfants, à propos de celui qui s'en va révéler un secret à un tiers. Péjoratif. *Parler des Can. fr.*

Panier. Ouvrir le panier de crabes.
Dévoiler la manigance, faire la lumière sur une affaire louche.
Se dit en particulier d'un scandale qui est révélé au grand jour.

Paon. Fier comme un paon.
Très fier, orgueilleux, poseur.
Var. Orgueilleux comme un paon. *Parler des Can. fr.*

Pape. Aller voir le Pape.
Filer, quitter les lieux.
Se dit à la forme impérative, pour faire s'éloigner un importun. Surtout entre jeunes. Ainsi: « Va donc voir le Pape, tu nous énerves! »

Papier. En passer un papier à quelqu'un.
En assurer quelqu'un.
Passer un papier, c'est garantir la véracité de ses paroles par un acte, suivant en cela l'adage: *les paroles passent, les écrits restent.* Car la parole, dans la civilisation traditionnelle, possède une valeur bien supérieure à l'écrit.

Var. En signer un papier; en signer son papier. « ...t'es un homme à te remonter le sifflet dans Pointe-Lévis, je t'en signe mon papier! » — Fréchette, *Contes de Jos Violon*, p. 17.

Papineau.
Voir: **Tête.**

Pâques. Faire des Pâques de renard.
Attendre à la dernière minute pour faire ses Pâques, les faire en retard.
Se dit souvent de celui qui fait ses Pâques dans la semaine qui suit la fête même, et plus spécifiquement le dimanche de la Quasimodo, ou encore qui ne fait ses Pâques qu'à contrecœur et seulement pour la forme. Celui qui ne voit dans les Pâques qu'une obligation fastidieuse et cherche par tous les moyens à s'en dispenser en sauvant la forme, agit comme un renard rusé. Dans la société traditionnelle, manquer aux rites était considéré comme une faute grave.
Civ. trad.,
Parler des Can. fr.,
Litt. orale.

Paquets. Porter les paquets.
Être délateur.
Se dit notamment entre enfants. Péjoratif.
Parler des Can. fr.

Parlote. Avoir de la parlote.
Être volubile.
Var. Avoir de la jasette; avoir de la parlette.
F.C. Avoir la parole facile.

Paroisse. Prêcher pour sa paroisse.

Parler en fonction de ses intérêts ou ceux de son groupe.

La paroisse autrefois définissait avant toute chose l'appartenance de l'homme à son milieu. C'est ainsi que l'on disait d'une personne qu'elle était de telle paroisse plutôt que de telle région ou de tel village.

Pas. Faire des pas de souris.

Faire de petits pas.

Passe. N'avoir pas de passe.

N'être pas possible, être invraisemblable.

Autrement dit, cela ne passe pas. Ne s'emploie qu'à la forme impersonnelle.

« Ça n'a pas de passe, ce qu'il nous dit là est un vrai tissu de mensonges. »

Patate. Gelé comme une patate dans un sabot.

Très gelé, glacé.

Parler des Can. fr.

Patate. Se renvoyer la patate chaude.

Se renvoyer de l'un à l'autre un problème délicat.

Var. Se renvoyer la balle.

Patates. Être dans les patates.

Être hors de propos, passer à côté de la question.

« Tu es dans les patates, tu parles de pommes et nous parlons d'oranges. »

Parler des Can. fr.

Pâte. Être une pâte molle.

Être un individu dénué de volonté propre.

« C'est une vraie pâte molle, sa femme le mène par le bout du nez. »
Se dit également d'un paresseux.
Var. Être (un) flanc mou.
Parler des Can. fr.

Patience. Sacrer patience à quelqu'un.
Laisser quelqu'un tranquille, en paix.
Ne s'emploie qu'à la forme impérative.
« Sacre-moi patience, tu vois bien que je suis occupé. »
Var. Saprer patience à quelqu'un.
Parler des Can. fr.

Patins. Accrocher ses patins.
Cesser tout travail, accéder à la retraite.
Allusion au joueur de hockey qui, à la fin d'une partie ou de la saison, accroche ses patins. Influence de ce jeu dans la langue populaire.

Patte. Être attaché à (après) la patte du poêle.
Être retenu au foyer.
« Depuis que Gisèle est mariée, elle est attachée après la patte du poêle, on la voit jamais sortir. »

Patte. Jouer une patte à quelqu'un.
Jouer un mauvais tour à quelqu'un.
Var. Jouer, faire une patte de cochon à quelqu'un.
Parler des Can. fr.

Pattes. Lever les pattes.
Mourir.
« Pépère a levé les pattes après la Toussaint. »

Pattes. N'être pas celui qui a posé les pattes aux mouches.
Ne pas être très perspicace, ni très intelligent.
Var. N'avoir pas mis les pattes aux mouches; n'être pas celui qui a inventé les boutons à quatre trous.

Pawaw. Partir sur un pawaw.
Aller fêter, s'amuser.
D'après Cuoq *(Lexique de la langue algonquine)*, pawaw identifie l'action de secouer. *Partir sur un pawaw,* c'est donc, littéralement, aller se secouer, s'agiter.
« Le commando de la swamp est parti sur un pawaw, pas moyen de les calmer de tout le weekend. »

Peanut. Mon cœur palpite/comme une peanut sur la brique.
Rimette qui est aussi une boutade familière. Pour se moquer d'un romantisme puéril, se dit entre jeunes.

Peau. Vendre la peau de l'ours avant de l'avoir tué.
Présager les événements.
Formule générale.

Péché. Botter quelqu'un au ras le péché.
Botter le derrière de quelqu'un.
Geste infamant s'il en est un, utilisé en guise de correction sévère.
« Si j'en prends un à planter une épinette sur ma terre, j'm'en vas le botter au ras l'péché. » — Paroles rapportées par Pierre Perrault *in* Gérard Harvey, *Marins du Saint-Laurent,* Editions du Jour, Montréal, 1974, p. 304.

Péché. Laid comme un péché capital.

Très laid.

Se dit d'un individu.

« Il y avait là une personne laide comme un péché capital, qui faisait vraiment peur à voir. »

Var. Laid comme un pichou.

Pédales. Perdre les pédales.

Perdre la raison, la tête.

Peigne. S'être battu avec le peigne.

Être mal coiffé.

Péjoratif. Euphémisme familier.

Var. S'être chicané avec le peigne.

Pelle. Donner la pelle à quelqu'un.

Éconduire un prétendant.

Civ. trad.

Pépère. Manger en pépère.

Manger beaucoup.

Civ. trad.

Perche. Se rendre à la perche.

Se rendre au terme avec difficulté.

Se dit à propos d'une entreprise qu'on a toutes les misères du monde à mener à terme.

Parler des Can. fr.

Perdu. Chanter comme un perdu.

Chanter en faussant.

Se dit de quelqu'un qui chante mal, qui crie plutôt qu'il ne chante.

Civ. trad.

Perdu. Crier comme un perdu.

Crier à tue-tête.

« Après que les voleurs ont été partis, il s'est mis à crier come un perdu. »
Parler des Can. fr.,
Litt. orale.

Père. Dormir comme père et mère.

Dormir d'un sommeil profond.
Parler des Can. fr.

Perron. N'être pas le perron de l'église.

N'être pas un lieu recommandable.

« Les Forges du Saint-Maurice, les enfants, *c'est pas le perron de l'église.* C'est plutôt le nique du diable avec tous ses petits... » — Fréchette, *Contes de Jos Violon,* p. 85.

Pétaque. Faire pétaque.

Rater, manquer son coup.

Pétaque:

« Quand ti-Paul a tenté sa chance une dernière fois avec Marie-Louise, il a fait pétaque sur toute la ligne. »
Civ. trad.

Peur. Avoir une peur bleue.

Avoir une frayeur extrême, incontrôlable.
Parler des Can. fr.

Peur. Partir en peur.

Prendre panique.

« Il ne faut pas partir en peur, tout n'est pas perdu. »

(ill. 14)

Peurs. Conter des peurs.

Effrayer quelqu'un, blaguer.

« Tu me contes des peurs, je sais bien que ce sont des menteries, voyons donc! »

Pharmacien. Écrire comme un pharmacien.

Écrire de façon illisible.

C'est un fait d'observation courant que les pharmaciens, comme d'ailleurs les médecins, écrivent particulièrement mal.

Var. Écrire comme un docteur.

Piastres. Avoir les yeux grands comme des piastres.

Avoir les yeux démesurément grands.

Allusion aux pièces de monnaie de un dollar qui avaient cours autrefois et dont la grande dimension a donné lieu à cette amusante comparaison.

Var. Avoir les yeux grands comme des trente sous.

Trésor ds montagne.

Piastres. Un mot de deux piastres et quart.

Un mot, un terme recherché.

Piastre: unité monétaire usitée autrefois; aujourd'hui, terme populaire pour *dollar*.

Piastres.

Voir: **Yeux.**

Pichou. Laid comme un pichou.

Très laid.

S'emploie surtout à propos d'une personne du sexe féminin. D'après Clapin (*Dict. can.-fr.*), ce terme est dérivé d'un mot cris, *pisew,* qui désigne un loup-

cervier ou lynx. Plus près de nous, le terme *pichou* désignait autrefois pour les *Canayens* un chausson d'étoffe grossière.
Coll. Massicotte.
Parler des Can. fr.

Pie. Bavard comme une pie.
Très bavard.
« Le professeur est bavard comme une pie, aussitôt sorti de la classe il n'arrête pas de parler avec ses collègues. »
Var. Avoir de la pie; parler comme une pie. *(Civ. trad.)*
Parler des Can. fr.

Pied. Avoir bon pied bon œil.
Être alerte, en parfaite santé.
« Même à quatre-vingt-quatre ans, grand-père avait encore bon pied bon œil. »

Pied. Avoir toujours le pied sur le perron.
Être toujours près à sortir.
« Ti-Pierre, le samedi soir, avait toujours le pied sur le perron, pas moyen de le retenir à la maison une minute. »

Pied. Gros comme mon pied.
Minuscule.
Se dit surtout d'un individu de petite taille. Par dérision.
Var. Gros comme mon poing. *(Litt. orale)*
Litt. orale.

Pied. Ne pas avoir le pied marin.

Tituber.

Se dit communément d'une personne soûle.

Pied. N'être pas à pied.

Ne pas être sans ressources, ne pas être à plaindre.
Se dit en général de celui qui est comblé de quelque façon. Allusion à celui qui est en moyen, qui peut se payer une voiture pour se véhiculer.

Var. Être en voiture; être greyé (gréé).

Pieds. Avoir les deux pieds dans le même soulier.

Être lent à comprendre, benêt, niais.
Var. Avoir les deux pieds dans la même bottine.
Litt. orale.

Pieds. Bête comme ses pieds.

Très bête, dénué de savoir-vivre.
Péjoratif.
« Pas la peine de parler avec lui, il est bête comme ses pieds. »
Litt. orale.
Voir: **Coup.**

Pieds. Se mettre les pieds dans les plats.

Se fourvoyer.
Péjoratif. Se dit de quelqu'un qui se fait prendre malgré lui dans une histoire qui lui est étrangère.

Pieds. Sentir les petits pieds.

Dégager une odeur nauséabonde.
Euphémisme familier.

Pierre. Aller avec Pierre, Jean, Jacques.

Aller avec n'importe qui.

Var. Sortir avec Pierre, Jean, Jacques.

Pierre. Déshabiller Pierre pour habiller Jacques.

Dépouiller l'un pour venir en aide à l'autre.

Pierre et Jacques ont des prénoms très communs qui sont employés ici pour désigner des individus en général. Il en est ainsi dans la formule Pierre, Jean, Jacques.

Pierres. Malheureux comme les pierres.

Très malheureux.

Se dit d'un individu atteint d'une tristesse profonde. « Le pauvre homme était malheureux comme les pierres après avoir perdu sa femme. »

Pigeon. Jaloux comme un pigeon.

Très jaloux.

Comparaison apparemment issue de l'observation commune.

Parler des Can. fr.

Pigouille. Être une pigouille.

Être un laideron.

Il s'agit probablement d'une déformation de *picouille* qui signifie *cheval épuisé, sans vigueur.*

Coll. Massicotte.

Pine. Aller à la pine.

Aller à fond de train, à toute vitesse.

C'est-à-dire forcer l'allure jusqu'à ce qu'on touche la goupille, la fin de la course, de façon imagée. Pine (« pin », angl.: goupille).

Pine. Être à la pine.

Être à bout de force.

Pinson. Gai comme un pinson.

Très gai.
Civ. trad.
Litt orale.

Pipe. Attendre une pipe.

Attendre longtemps.

Référence à la popularité de la pipe qui devint tôt pour certains une façon de marquer le temps. C'est ainsi par exemple qu'on parlait d'une terre de deux pipes, ce qui signifiait que sa longueur équivalait à deux pipées si on en parcourait l'étendue à pied. *Trésor ds montagne.*

Pipe. Casser sa pipe au ras le trente-sous.

Échouer, manquer son coup.

« Le père Maurice a cassé sa pipe au ras le trente-sous quand il est allé reprendre son fils à Montréal. » *Parler des Can. fr.*

Pipe. Mettre ça dans sa pipe et fumer ça.

Accepter l'inévitable et méditer sur celui-ci.

S'emploie à l'impératif, pour clore une conversation ou pour signifier à son interlocuteur l'absolu de son argument.

Pipe. Perdre sa pipe jamais sa blague.

Perdre sur une partie mais jamais sur le tout.
Var. Casser sa pipe mais ne jamais perdre sa blague.
F.C. Perdre une bataille mais pas la guerre.
Parler des Can. fr.

(ill. 15)

Pipe. Tirer la pipe à quelqu'un.

Raconter des histoires, des blagues à quelqu'un, le taquiner.

Pique. Maigre comme un pique.

Très maigre.

Var. Gros comme un pique.

Civ. trad.

Piquet. Maigre comme un piquet.

D'une maigreur excessive.

Référence au piquet de clôture, fait d'un rondin de 4 ou 5 pouces de diamètre et de 5 pieds de hauteur.

Piquet. Rester sur le piquet.

Rester vieille fille, célibataire.

Allusion aux animaux que l'on met au piquet ou au vert afin de leur faire prendre du repos.

Civ. trad.

Pisse.

Voir: **Jambes.**

Piste. Prendre la piste à pataud.

Locution énigmatique.

Pistes. Faire des pistes.

Fuir en vitesse, filer à toute vitesse.

« Quand j'ai vu l'ours qui courait dans ma direction, j'ai fait des pistes, je te jure. »

Pistes. Faire des pistes de fesses.

Prendre la fuite.

Pistolet. Avoir les yeux comme un pistolet.

Faire de gros yeux, des yeux colériques.

F.C. Regarder quelqu'un d'un œil noir.

Litt. orale.

Piton. Être piton.

Être idiot, imbécile.

Piton. Être sur le piton.

Être en pleine forme, dispos.

Piton: sorte de crochet, faîte d'une montagne; communément, bouton, en général.

« Après une bonne nuit de sommeil, nous étions tous de nouveau sur le piton. »

On dit également « ne pas être sur le piton » pour *n'être pas en forme, être d'humeur maussade.*

Plafond. Sauter au plafond.

Tressaillir, jubiler.

« Quand elle a su qu'elle avait gagné le million, elle a sauté au plafond. »

Planche. Avoir les côtes comme une planche à laver.

Être d'une maigreur excessive.

C'est-à-dire avoir les côtes saillantes, ou encore n'avoir que la peau et les os. Se dit d'un animal ou d'un individu.

Var. Plat comme une planche à laver. *(Civ. trad.)*
Parler des Can. fr.

Planche. Bombé comme une planche à laver.

Très bombé.

Les planches à laver d'autrefois avaient une surface

ondulée qui facilitait le lavage des vêtements, d'où la présente comparaison.
Parler des Can. fr.

Planche. Maigre comme une planche sur le cou.
Très maigre.

Planche. Prendre la planche du bord.
Adopter une position privilégiée.
Parler des Can. fr.

Planches. Être sur les planches.
Expression qui a survécu à l'ancien temps alors qu'on exposait la personne défunte sur un tréteau.
« On ne mettait le mort dans son cercueil qu'au deuxième glas [Autrefois les glas sonnaient aux trois angélus, pendant toute la durée de l'exposition du mort », p. 44] précédant les funérailles. Jusque-là, il était sur « les planches », posées sur des tréteaux, [sic] recouvertes de draps blancs. » — Madeleine Ferron et Robert Cliche, *Quand le peuple fait la loi,* p. 43.

Plats. Faire les petits plats avant les grands.
Faire un festin, préparer un repas hors de l'ordinaire.
Allusion aux entrées qu'on ne servait que dans les grandes occasions. « Je savais qu'à l'occasion de mon ordination on allait bien, le soir, faire les petits plats avant les grands. »

Plats. Mettre les petits plats dans les grands.
Se donner du mal pour recevoir quelqu'un.

« Quand monsieur le curé est venu nous rendre visite, nous avons mis les petits plats dans les grands. »

Pli. Ne pas faire un pli sur la différence.

Ne rien changer, être indifférent.

« Que tu viennes ou que tu viennes pas, ça me fait pas un pli sur la différence. »

Var. Ne pas faire un pli; ne pas faire un pli sur la poche. Vulgaire.

Plomb. Avoir du plomb dans la tête.

Être équilibré, mature.

Var. Avoir un peu de plomb dans la tête. Ne pas avoir de plomb dans la tête, (être infantile, déséquilibré.)

Plomb. Lourd comme du plomb.

Très lourd.

Litt. orale.

Pluie. Ennuyant comme la pluie.

Très ennuyant.

Allusion aux journées pluvieuses où l'on doit rester cantonné à la maison.

« Le discours du député était ennuyant comme la pluie, à tel point qu'à la toute fin il ne restait presque plus personne dans la salle. »

Parler des Can. fr.

Plume. Léger comme une plume.

Très léger.

S'emploie autant pour qualifier les individus que les choses.

Litt. orale.

Poêle. Noir comme le poêle.

Très noir, crasseux.

Ne s'emploie que pour qualifier la saleté extérieure et non par rapport à l'obscurité. Référence aux anciens poêles à deux ponts ou aux poêles à bois de fonte noire qu'on polissait à la mine de plomb.

« Quand l'enfant de Marie Bachand est entré dans la maison il était noir comme le poêle. »

Voir: **Cordons.**

Poignet. Se passer un poignet.

Se masturber.

Var. Se passer un willy.

Poil. Avoir du poil dans les oreilles.

Posséder de l'expérience.

C'est un fait d'observation courant que les personnes âgées ont souvent du poil dans les oreilles.

Poil. Ne pas s'énerver le poil des jambes.

Ne pas céder à la panique, à l'énervement.

S'emploie à l'impératif et à la forme négative pour dire de ne pas paniquer.

« Enerve-toi pas le poil des jambes, nous arriverons dans une demi-heure. »

Poil. Se vendre comme un poil.

Se vendre facilement.

Var. Se vendre comme rien.

Poings. Se prendre aux poings.

Se quereller, se battre.

Poireau. Vert comme un poireau.

Verdâtre.

Se dit notamment d'un individu au teint blafard, maladif.

Litt. orale.

Poisson. Changer son poisson d'eau.

Uriner.

Euphémisme amusant.

Poisson. Être heureux comme un poisson dans l'eau.

Être très heureux, comblé.

Exprime un état de plénitude général.

Poisson. Être poisson.

Être bonasse, poire.

Var. Poissonner (se laisser berner).

Poisson. Nager comme un poisson.

Bien nager, nager avec aisance.

Voir: **Queue.**

Poissons. Faire rire les poissons.

Raconter des blagues, des balivernes.

Formule qui ne s'emploie qu'à l'impératif et à la forme négative pour marquer son incrédulité face aux propos d'autrui. Est utilisé notamment par les enfants. Boutade familière.

« Fais pas rire les poissons, ton histoire de monstre, on n'y croit pas une seconde. »

Politesse. Casser la politesse à quelqu'un.

Faire faux bond, fausser compagnie à quelqu'un.

Parler des Can. fr.

Polonais. Soûl comme un Polonais.

Ivre mort.

D'après la croyance commune, les Polonais seraient de gros buveurs.

Parler des Can. fr.

Pomme. Rond comme une pomme.

Gras.

D'un animal ou d'un individu.

Parler des Can. fr.

Pommes. Haut comme deux pommes.

De taille minuscule.

Se dit surtout à propos d'un individu.

« Cet enfant est haut comme deux pommes mais il régente ses parents toute la journée. »

Var. Haut comme trois pommes; haut comme la poutre *(Litt. orale).*

Litt. orale.

Ponce. Prendre une ponce.

Prendre un verre, un coup, un grog.

Ponce, vraisemblablement de l'anglais « punch », d'ailleurs francisé. On dit « se poncer » pour « prendre un coup ». Dans sa signification première, prendre un alcool chaud, un « p'tit remontant » suite à un refroidissement.

Porc-épic. Avoir une tête comme un porc-épic.

Avoir les cheveux raides, dressés sur la tête.

Se dit à propos d'une personne particulièrement difficile à coiffer.

Porte. Large comme la porte.

Très large.

Se dit d'un individu corpulent.

« Grand-père était large comme la porte, à tel point qu'il avait de la misère à se lever de sa chaise. » *Litt. orale.*

Porte. Ne pas avoir de porte de derrière.

Ne pas user de faux-fuyants, d'hypocrisie.

Se dit pour signifier qu'on est sans détour, qu'on dévoile toujours sa pensée devant autrui et non derrière son dos; aussi pour dire qu'on « n'y va pas par quatre chemins » pour déclarer ce qu'on a à dire.

Parler des Can. fr.

Portée. Être à une portée de fusil.

Être peu éloigné.

Portée de fusil: unité de mesure populaire équivalente à moins d'un mille approximativement.

« Mon plus proche voisin, Hector Lamontagne, se trouve à peine à une portée de fusil de mon bâtiment. »

Portes. Avoir les oreilles en portes de grange.

Avoir de grandes oreilles décollées.

Descriptif.

Portrait. Se faire arranger le portrait.

Se faire battre.

On dit également: *arranger le portrait à quelqu'un* pour *lui donner une râclée, le battre.*

Var. Se faire défoncer le portrait; se faire démolir le

portrait; se faire casser la gueule; se faire arranger la margoulette.

Poteau. Droit comme un poteau.

Très droit, dressé.

« Ce soldat au garde-à-vous se tient droit comme un poteau. »

Var. Droit comme un piquet. *(Litt. orale)*

Parler des Can. fr.

Potte. Sourd comme un potte.

Atteint de surdité profonde.

Potte: pot. Explication d'un informateur: allusion au pot de chambre qu'on utilisait jadis dans les pièces supérieures de la maison, la nuit, pour uriner, car il faisait souvent trop froid pour descendre à l'étage inférieur. Il fallait faire très attention lorsqu'on utilisait le pot, de ne faire aucun bruit afin de ne pas réveiller les autres membres de la famille, d'où l'expression.

Var. Sourd comme un pot. *(Litt. orale)*

Civ. trad.

F.C. Sourd comme un pot.

Pou. Être comme un pou sur une grange.

Être présomptueux.

Se dit particulièrement d'une personne qui s'adonne à un travail au-dessus de ses forces.

Pou. Faible comme un pou.

Très faible.

Litt. orale.

212

Pou. Fort comme un pou.

Faible.

S'emploie par dérision.

« Il est fort comme un pou mais veut quand même lever ce poids bien au-dessus de ses forces. »

Poudre. Avoir plus de poudre que de plomb.

Avoir plus d'éclat que d'importance.
Parler des Can. fr.

Poudre. Prime comme la poudre.

Se dit de quelqu'un qui se met rapidement en colère, qui est très prompt.

« Ne l'agace pas trop ce soir, il est prime comme la poudre. »

Var. Prompt comme la poudre. *(Litt. orale. Parler des Can. fr.)*
Civ. trad.

Poudrerie. Passer en poudrerie.

Passer très vite, en trombe.

Poudrerie: canadianisme signifiant « neige soufflée par un vent violent ».

F.C. Passer comme la foudre.

Pouille. Se chanter pouille.

S'engueuler, s'apostropher.

« Et pour ne pas laisser s'éteindre leur belliqueuse ardeur, les deux adversaires se chantèrent pouille à qui mieux mieux... » — Rodolphe Girard, *Marie Calumet*, p. 154.

Poulain. Avoir la tête comme un poulain.
Être échevelé.

Poulain. Être encore comme un jeune poulain.
Être encore plein de vigueur, d'ardeur.
Se dit pour qualifier un vieillard encore vert, vigoureux, qui se sent encore plein d'ardeur amoureuse.
Voir: **Tête.**

Poule. Être bleu comme la poule à Simon.
Être un conservateur convaincu (en politique).
Se dit à propos de l'allégeance politique, les bleus étant les membres ou sympathisants du parti conservateur et les rouges, membres ou sympathisants du parti libéral, au Québec.

Poule. Être comme une poule couveuse.
Être surprotectrice (se dit d'une femme); être frileux.
Se dit notamment d'une mère qui surprotège ses enfants.

Poule. Être poule mouillée.
Être froussard.
Péjoratif.

Poule. Vendre la poule noire.
Vendre son âme au diable, se damner.
Allusion à la célèbre légende de la vente de la poule noire qui possède de multiples variantes. D'après celle-ci, il suffit, pour acquérir la richesse, de vendre son âme au diable en se servant, pour intermédiaire symbolique, d'une poule noire qu'on donne au Malin.
Voir: **Chair.**

Poules. Gauler les poules à Tancrède.

Abattre très rapidement un gros travail.

Gauler: voler, en français ancien.

Poulet. Faible comme un poulet.

Très faible.

Se dit notamment d'une malade alité.

« Il était faible comme un poulet, à tel point qu'on devait le nourrir à la cuiller. »

Parler des Can. fr.

Poulet. Partir comme un poulet.

Mourir sans coup férir, tout doucement.

Se dit à propos de quelqu'un qui meurt stoïquement, sans grande démonstration extérieure.

Prières. Marcher avec des prières.

Fonctionner on ne sait trop comment, par miracle.

« Cette voiture marche avec des prières, elle roule, oui, mais pour combien de temps encore. »

Prince. Fier comme un prince.

Très fier.

Puce. Avoir peur d'une puce qui montre les cornes.

S'effrayer pour peu.

Parler des Can. fr.

Puits. Tirer un puits.

Creuser un puits, une fontaine.

« On voulait tirer un puits mais le sourcier, qu'on avait fair venir spécialement de Richibouctou, n'a pu découvrir la source. »

Pur. Céder à pur et à plein.
Céder entièrement.
Dans le vocabulaire légal.

Quarante. Ne pas être barré à quarante.

N'éprouver aucune gêne, aucune retenue.

Se dit d'un individu que le scrupule ou la gêne n'étouffe pas, qui semble être dénué de toute inhibition.

Quart. Rond comme un quart.

Très rond, arrondi.

Quart: étrave et quille d'un navire.

« Il n'a pas de plat de varangue... il a le genou rond comme un quart. » — Pierre Perrault, *Les voitures d'eau,* p. 50.

Quartiers. Ne pas se moucher avec des quartiers de terrine.

Ne pas être dans la misère.

Se dit à propos d'un individu à l'aise, fortuné.

« Monsieur le notaire ne se mouche pas avec des quartiers de terrine, un nouveau manteau de rat musqué chaque hiver! »

Var. Ne pas se torcher avec des pelures de bananes.

Parler des Can. fr.

Coll. Massicotte.

Quatre. Manger comme quatre.

Manger beaucoup, être glouton.

« Le jeune Paul, qui n'avait que huit ans, mangeait comme quatre. »

F.C. Manger comme un ogre.

Quatre. Se fendre en quatre.

Se dépenser sans compter.

« Il s'est fendu en quatre pour toi et tu ne veux même pas lui rendre ce petit service? »

Parler des Can. fr.

Québec. Se faire passer un Québec.

Se faire berner, rouler.

Se dit à propos d'une transaction douteuse, notamment.

Var. Se faire passer un sapin, un(e) épinette.

Québécois. Être un Québécois pure laine.

Être québécois de souche, véritable.

Marque la fierté toute légitime d'appartenir à sa nationalité.

Quêteux. Chanceux comme un quêteux qui perd sa poche puis qui en trouve deux.

Très chanceux.

Voir: **Chance.**

Quetouche. Prendre sa quetouche.

Téter.

Quetouche: de *tetoche,* en France, expression populaire d'autrefois pour parler des seins d'une nourrice.

Queue. Être comme une queue de chien.

Avoir des réactions imprévisibles.

Courir à droite et à gauche sans constance. Se dit, par exemple, d'un jeune homme qui cherche à séduire plusieurs jeunes filles à la fois.

Queue. Être (comme) une queue de veau.

Être affairé, hyperactif.

Se dit de celui qui n'arrête pas, qui est partout à la fois, façon de parler.

« Le petit Pierre n'arrête pas une minute, une vraie queue de veau. »

Queue. Être en queue de chemise.

Être en petite tenue, en caleçon.

Queue. Finir en queue de poisson.

Finir sans conclusion satisfaisante, de façon abrupte.

Queue. N'avoir ni queue ni tête.

N'avoir aucun sens.

« Cette histoire de poissons rouges dans la baignoire, ça n'a ni queue ni tête. »

Queue. Se sauver la queue sur le dos.

S'enfuir à toutes jambes, rapidement.

Allusion à ce phénomène chez les animaux. Ne s'emploie plus guère.

Var. Aller la queue sur le dos. (Litt. orale. Civ. trad.)
Parler des Can. fr.

Rame. Bien tenir sa rame.

> *Tenir à ses vues, ses opinions.*
> *Var.* Tenir son bout; tenir son bout de la couverte (couverture).
> *Coll. Massicotte.*

Rare. Être rare de place.

> *Y avoir peu de place.*
> « Il y avait tellement de bois que c'était rare de place. »
> *Île Verte.*

Rat. Pauvre comme un rat d'église.

> « Il leur (les rats) était (...) difficile de jouir des mêmes avantages (que les souris), parce qu'à raison de leur plus forte corpulence, ils ne pouvaient s'introduire dans l'église aussi facilement que leurs cousines les souris. D'ailleurs, étant plus activement pourchassés par les bedeaux, ils n'avaient que les restes et vivaient dans la disette et la misère; de là probablement le proverbe: *Pauvre comme un rat d'église.* »

— Clément Trudelle, « Le pain bénit », *Bulletin des recherches historiques,* vol. XVIII, no 5, mai 1912, p. 163.

Ratoureux. Être ratoureux.

Être espiègle, rusé.

« Mon Aurélie, tu es pas mal ratoureuse d'avoir amené ton mari à t'acheter ce manteau de vison. »

Ravaud. Faire du ravaud.

Faire du bruit, du tapage, se démener.

Ravaud: de *ravaudage,* qui désigne la réparation d'un filet de pêche, dans le vocabulaire maritime.

Var. Mener le ravaud, faire du train.

Rebrousse-poil. Être à rebrousse-poil.

Être de mauvaise humeur.

Référence au poil dressé des animaux quand ils manifestent de la colère.

Civ. trad.

Renard. Être renard.

Être rusé.

Var. Rusé comme un renard *(Civ. trad.);* fin comme un renard *(Litt. orale).*

Renard. Faire le renard.

Faire l'école buissonnière.

Comme le renard joue de ruse, l'enfant qui ne veut pas aller à l'école essaie de *finasser* de toutes les manières possibles pour arriver à ses fins. D'après Geoffrion *(Zigzags autour de nos parlers),* cette expression se rencontre au Poitou et dans l'Anjou français.

Renard. Plumer son renard.

Vomir tout en étant ivre.

Euphémisme populaire.

Renard. Tirer du renard.

Refuser d'obéir, d'obtempérer.

A propos d'un individu. Se dit aussi à propos d'un cheval qui, lorsqu'il est attaché, cherche à reculer brusquement pour briser l'attache qui le retient.

Var. Tirer au renard.

Parler des Can. fr.

Voir: **Pâques.**

Respire. Mentir comme on respire.

Mentir à qui mieux mieux, quasi naturellement.

« C'est une seconde nature chez lui, il ment comme il respire. »

Reste. Jouer (de) son reste.

Achever de jouer son avoir.

Par exemple, au jeu de cartes, risquer tout l'argent qui nous reste.

Parler des Can. fr.

Retard. Être en retard.

Être niais, idiot.

« Celui-là on peut dire qu'il est en retard, pas moyen de lui faire comprendre le bon sens. »

Rien. Y a rien là.

Aucune importance, rien de difficile, rien dont on doive se préoccuper.

« Passer cet examen, y a rien là, je suis sûr de passer comme dans du beurre. »

Riens.
Voir: **Montagnes.**

Rire. Prendre tout pour rire.
Ne rien prendre au sérieux.
Se dit à propos d'un boute-en-train, notamment.
Parler des Can. fr.

Roi. Fier comme un roi.
Très fier, d'une fierté sans concession.
Voir: **Épée.**

Ronge. Manger son ronge.
Être pensif, renfrogné.
« Seulement, je m'aperçus que Tanfan Jeannotte *mangeait son ronge,* et qu'il avait l'air de ruminer quèque manigance… » — Fréchette, *Contes de Jos Violon,* p. 18.

Rossignol. Chanter comme un rossignol.
Bien chanter, chanter juste.
Se dit surtout d'un enfant qui chante très bien. Allusion au chant mélodieux de cet oiseau.
Parler des Can. fr.

Roue. Courir le risque d'avoir une roue de trop.
Courir un risque en s'occupant de ce qu'on ignore, de ce qui ne nous regarde pas.
Parler des Can. fr.

Roues. Être sur ses dernières roues.
Employer ses dernières ressources.
Se dit notamment des vieillards qui arrivent à la fin de leur vie, qui sont à la limite de leurs forces.

Var. Être sur ses derniers milles; être rendu à la fin de son rouleau.
Civ. trad.

Rouge. Être dans le rouge.
Être déficitaire, être au-delà du crédit permissible.
Dans le vocabulaire des affaires, allusion à l'usage voulant qu'on écrive en rouge dans le compte d'un client les montants qui dépassent la marge de crédit allouée. Calque de l'anglais: « To be in the red ».

Roule. Être le roule.
Être la façon de faire, la routine.
Roule: étymologiquement, de *roulette* ou de roue de voiture, de cycle. Le roule, c'est-à-dire la façon de rouler, de tourner, en langue imagée.

Roulettes. Aller comme sur des (les) roulettes.
Aller rondement, sans accroc.
Voir: **Chars.**

Royalement. Se tromper royalement.
Se tromper tout à fait, de façon évidente.
« Il s'est trompé royalement de chemin, prenant la route d'Ottawa pour aller à Sherbrooke. »

R'quiens. Ne pas avoir de r'quiens ben (retiens bien).
Ne souffrir d'aucune inhibition, n'avoir aucune retenue.
Se dit notamment à propos des enfants qui n'ont aucune retenue dans leurs propos ou leurs gestes. Expression légèrement péjorative.
Parler des Can. fr.

S

Sac. En avoir plein son sac de quelqu'un.
Être exaspéré par quelqu'un, en avoir assez de quel-
qu'un.
Civ. trad.

Sac. Être un sac à chicane.
Être chicanier.
On dira également volontiers *chicaneux (Glossaire du*
parler fr. au Can.). Le sac, c'est le contenant familier
par excellence; ainsi on en a *plein le sac* (assez)
comme, aussi, on en a *dans le sac* ou *dans son sac*
(agité, intenable); de même on dit de quelqu'un de
malicieux que c'est un *sac à malice.*
Parler des Can. fr.

Sac. L'affaire est dans le sac.
L'affaire est réglée, résolue.
Se dit en guise de satisfaction.

Sacre. Aller au sacre.
Filer, partir.

(ill. 16)

226

Ne s'utilise qu'à l'impératif.
Var. Aller au diable; aller chez le bonhomme; sacrer le camp.
F.C. Aller se faire pendre.
Parler des Can. fr.

Safran. Jaune comme le safran.
Très jaune.
Var. Jaune comme un citron. *(Litt. orale)*
Litt. orale.

Saint-Louis.
Voir: **Croix.**

Saints. Descendre tous les saints du ciel.
Blasphémer, manifester sa colère en blasphémant.
Se dit à propos de celui qui est littéralement déchaîné et se met à blasphémer en proférant le nom des saints.

Sangsue. Être une sangsue.
Être parasite.
Se dit de quelqu'un qui vit aux dépens d'autrui. S'emploie aussi bien au sens moral que physique.
Parler des Can. fr.

Santé. Avoir une santé de fer.
Être en excellente santé, de constitution robuste.

Sauce. Ne pas être clair de sa sauce.
Ne pas être dénué de toute responsabilité, ne pas en avoir fini avec quelque chose.
«Toi, t'es pas clair de ta sauce, il te reste bien des choses à expier! »

Saut. Faire faire le saut de crapaud à quelqu'un.

Se défaire rapidement d'un gêneur ou d'un obstacle.

Comme le crapaud bondit dès qu'on l'effraie, celui qu'on évince brusquement disparaît avec rapidité. *Parler des Can. fr.*

Sauvage. Partir comme un sauvage.

Partir en vitesse, sans même saluer.

Péjoratif. Référence à l'opinion courante autrefois chez les blancs voulant que les Amérindiens ou, comme on disait alors, les Sauvages, fussent dénués de savoir-vivre.

« Ne pars donc pas comme un sauvage, rien que sur une jambe. Tiens, je vais te servir une autre lampée de mon vin de rhubarbe. » — Rodolphe Girard, *Marie-Calumet*, p. 38.

Var. Partir en sauvage.

Sauvez-vous. Sentir le sauvez-vous.

Dégager une odeur nauséabonde.

« Il sentait le sauvez-vous à tel point qu'on a dû partir. »

Savon. Se faire passer le savon.

Se faire battre, engueuler.

Var. Passer le savon à quelqu'un. (Tabasser quelqu'un.)

F.C. Se faire passer à tabac.

Savonner. Se faire savonner.

Se faire réprimander, corriger.

« Ti-Paul s'est fait savonner par sa mère à cause de son mauvais bulletin mensuel. »

Scie. Prier comme une scie ronde.

Marmonner des prières.

Se dit à propos de gens qui récitent leurs prières de façon automatique et à voix basse, faisant un bruit de scie ronde.

Litt. orale.

Sel. Pauvre comme le sel.

Très pauvre.

Var. Pauvre comme du gros sel.

Parler des Can. fr.

Semaine. Dans la semaine des trois jeudis.

Jamais.

Pour dire que l'accomplissement ne se produira jamais.

Trésor ds montagne.

Sentène. Ne pas trouver la sentène.

Ne pouvoir démêler une affaire compliquée, un embrouillamini.

S'écrie également *centaine*. Référence au brin qui porte ce nom et qui, formé des deux bouts d'un écheveau, sert à en lier tous les brins. En langage maritime la *centaine* se dit du câblot servant à lier des paquets de petits cordages.

Var. Perdre la sentène. (Ne pas savoir s'y prendre.)

Parler des Can. fr.

Sept. Ne plus trouver le sept pour saucer.

Ne pouvoir se tirer d'affaire, d'embarras.

On dira à l'opposé « trouver les sept pour saucer »,

voulant signifier par là « trouver le moyen de se tirer d'affaire. »
Parler des Can. fr.

Serin. Chanter comme un serin.
Chanter très bien, de façon mélodieuse.

Serin. Jaune comme un serin.
Très jaune.
Se dit à propos d'une personne au teint jaunâtre.

Serre-la-piastre. Être un serre-la-piastre.
Être avare.
Var. Être un gratte-la-cenne, être séraphin (référence dans ce dernier cas à un célèbre personnage créé par Claude-Henri Grignon).
Litt. orale.

Sexe. Être porté sur le sexe.
Être attiré par la sexualité, le sexe opposé.
« Ce vieux snoro, il est encore porté sur le sexe à son âge, 87 ans, et il court toujours la galipote. »

Siaux. Mouiller à siaux (seaux).
Pleuvoir à verse.
C'est-à-dire, en termes plus clairs, pleuvoir à pleins seaux.
Parler des Can. fr.

Siège.
Voir: **Année.**

Siffle. Lâcher un siffle.
Siffler soudainement, appeler quelqu'un en sifflant.

Sifflette. Se faire couper le sifflette (sifflet).
Se faire couper la parole, interrompre.
« Il n'avait pas dit un seul mot que déjà l'autre lui avait coupé le sifflette. »

Simple. Faire simple comme nos vaches.
Être dépourvu de jugement, paraître bizarre.
Simple: de simplet. La formule s'utilise au Lac-Saint-Jean et sur la Côte-Nord.
Var. Faire dur.

Singe. Drôle comme un singe.
Très amusant, drôle.
Se dit d'un individu aux réparties ou à la physionomie qui porte à rire.
Litt. orale.

Singe. Être singe de course.
Être excellent imitateur.
Boutade amusante.

Singe. Laid comme un singe.
Très laid, repoussant.
Se dit d'un individu à la physionomie rebutante.
Voir: **Monnaie.**

Skis. Aller avec ses skis dans le bain.
Être à contretemps.
Se dit pour marquer l'exaspération. S'emploie à la forme interrogative. « Où c'est que tu vas avec tes skis dans le bain? » Autrement dit: tu n'es pas sur la bonne voie, au bon moment.

Slide. Faire quelque chose sur la slide.

Faire quelque chose illégalement à la dérobée, en parallèle.

« Il vendait des joints sur la slide dans la cour de l'école tandis qu'il faisait semblant de discuter avec les autres. »

(« Slide », angl.: glissoire, coulisse.)

F.C. Faire quelque chose en coulisse.

Smarsette. Faire une smarsette.

Agir en finaud, de telle sorte qu'on n'y voie que du feu. Smarsette (« smart », angl.: rusé, intelligent). Le sens de l'expression s'approche de « passer un sapin ». Se dit notamment dans la région de l'Abitibi. On dit également *un smat* pour un vantard incompétent.

Smat. Être (bien) smat.

Être serviable, gentil.

(« Smart », angl.: intelligent, rusé.)

« Le petit Paquette est ben smat, tous les services qu'on lui demande, il les rend. »

Smat. Faire le smat.

Parader, faire le fanfaron.

« Il faisait le smat devant les chums mais quand il est arrivé à la maison il s'est fait brasser le canayen. »

Var. Faire son (beau) smat.

Sœurs.

Voir: **Fesses.**

Soie. Être fine comme de la soie.

Être pleine de gentillesse.

Se dit d'une femme.

« Sa petite fille est fine comme de la soie, elle est sage comme une image. »

Civ. trad.

Soie. Être une soie.

Être douce, gentille.

Se dit particulièrement du caractère moral d'une femme ou d'un jeune fille.

Solide. Être solide sur pattes.

Être un solide gaillard.

« Il est solide sur pattes, ce Johnny Rougeau, si tu l'avais vu prendre cet écartèlement sans faiblir! »

Parler des Can. fr.

Sorcier. Être en sorcier.

Être en colère, furieux.

« Vous comprenez bien, le charretier est en sorcier. »

— *Veillées du bon vieux temps*, p. 71.

Var. Être en beau joual vert, en maudit, en fusil, etc.

Sorcier. Fin comme un sorcier.

Très rusé, espiègle.

Se dit notamment des enfants. Référence aux pouvoirs merveilleux des sorciers et sorcières au sein de la mythologie populaire de chez nous.

Litt. orale.

Sou. Propre comme un sou neuf.

Très propre, immaculé.

Var. Propre comme une cenne neuve.

Souleur. Avoir souleur.

Avoir peur, ressentir une grande frayeur.

« Quand c't'arbre est tombé au ras moé, j'ai eu, mes p'tits enfants du bon 'ieu, une souleur comme j'en avais jamais eu de ma vie. »

Soulier. Ne pas aller dans le soulier.

Perdre la raison, agir de façon bizarre.

Marque la perplexité face aux agissement d'autrui.

Souliers. Avoir les souliers ronds.

Être en état d'ivresse, tituber.

Tout comme s'il marchait sur des semelles bombées, l'homme ivre garde difficilement son équilibre.

Soûls. Les cochons sont soûls.

Se dit pour s'excuser d'avoir lâché un rot.

Souris.

Voir: **Pas.**

Souris. Pauvre comme une souris d'église.

Très pauvre.

La comparaison vient du fait qu'une souris ne trouve guère à manger dans une église.

Sparages. Faire des sparages.

Gesticuler, faire un esclandre.

Se dit souvent d'un individu qui, se laissant aller à l'énervement, se met à gesticuler avec ostentation.

« Tante Gertrude faisait tellement de sparages devant
la maîtresse d'école qu'on a dû l'obliger à sortir. »

Swing. Sentir le swing.
Sentir mauvais, le sur.
(« Swing », angl.: balancer.)

T

Tabac. Connaître le tabac.

Avoir de l'expérience.

Autrefois, il était de pratique courante chez les marchands de vouloir berner le client sur la qualité et la provenance des tabacs, c'est ainsi que celui qui « connaissait le tabac » ne s'y laissait guère prendre.

Var. Connaître la « game », (angl.: jeu); connaître la gamique (« gimmick », angl.: affaire louche).

Table. Passer sous la table.

Sauter un repas.

Se dit par rapport à quelqu'un qui, par suite d'une punition ou d'un oubli de sa part, se voit privé de repas.

Parler des Can. fr.

Tambourin. Arriver comme tambourin à noces.

Arriver quelque part fort à propos.

Taon. Vite comme un taon.

Très rapide.

236

Se dit d'une personne agissant avec un rapidité très grande.

Var. Vite comme (un) l'éclair.

Civ. trad.

Tape. Sacrer une tape à quelqu'un.

Gifler quelqu'un, le souffleter.

« Le petit Gérard a sacré une tape à son ami parce que ce dernier ne voulait pas lui donner son jouet. »

Parler des Can. fr.

Tarauder. Tarauder quelqu'un.

Clore le bec à quelqu'un, l'immobiliser, le battre.

Parler des Can. fr.

Tas. Bûcher dans le tas.

Foncer, frapper sans discernement.

« Il faut bûcher dans le tas si tu veux arriver un jour. »

Taupe. Myope comme une taupe.

D'une myopie totale.

Descriptif. Se dit d'un individu.

Taureau. Être taureau.

Être extraordinaire, surprenant.

Exclamation commune. Ne s'emploie plus guère.

Var. Être champion.

Taureau. Fort comme un taureau.

Très fort, robuste.

Temps. Prends ton temps, lâche les vents.

Ne te presse pas.

Vents: employés ici dans le sens de *gaz*, *pet*. Formu-

le qui est proférée en guise de boutade à l'endroit
de celui qui tarde exagérément à agir.

Tendre. Être tendre d'entretien.

Souffrir d'embonpoint.

Allusion est faite dans la présente expression à la
croyance répandue voulant qu'une femme forte, grasse, soit plus affectueuse, *tendre d'entretien,* qu'une
personne fluette.

Île Verte.

Termes. Parler dans les termes.

Parler de façon recherchée, savante.

Se dit de celui qui a un beau langage, qui est instruit
et utilise des termes « savants » pour s'exprimer.
« Monsieur le curé, il parle tellement dans les termes
que des fois on le comprend pas. »

Parler des Can. fr.

Terre. Boire comme une terre sèche.

Boire beaucoup.

Se dit d'une personne qui consomme beaucoup de
boissons enivrantes.

Terrine.

Voir: **Quartiers.**

Tête. Avoir la tête enflée.

Être orgueilleux, snob.

Péjoratif. De celui qui a la *tête enflée,* on dit que
c'est une tête enflée. On dit également de quelqu'un
qu'*il s'enfle la tête* pour une raison quelconque.

F.C. Monter à la tête de quelqu'un.

(ill. 17)

Tête. Avoir la tête près du bonnet.
Être effronté, s'emporter facilement.
S'emploie en France également.
Coll. Massicotte.

Tête. Avoir une (la) tête sur les épaules.
Être intelligent, équilibré.

Tête. Coucher tête beige.
Corruption de *tête-bêche*, vieille locution française qui veut dire coucher parallèlement en sens inverse, opposé.

Tête. Être tête heureuse.
Être écervelé, dénué de jugement.
Familier.
Var. Être fofolle (pour une femme); ne pas avoir de jugeotte.

Tête. Grosse tête d'eau les oreilles te flottent.
Se dit sous forme de boutade à celui qui ne semble pas pécher par excès d'intelligence. Répartie amusante, familière. Se dit surtout entre adolescents.

Tête. Ne pas être la tête à Papineau.
Ne pas être très intelligent, futé.
Référence à Louis-Joseph Papineau, brillant tribun et homme politique de chez nous dont le nom est passé dans l'usage populaire.
Var. Ne pas avoir posé les pattes aux mouches; ne pas être une lumière.

Tête. Piquer une tête.

Regarder à la dérobée, chuter.

« Je l'ai vu piquer une tête dans la rivière après avoir buté contre une roche moussue. »

Tête. Se faire sortir sur la tête.

Se faire éconduire, se faire sortir manu militari.

« C'est ce que j'appelle se faire sortir sur la tête, le pauvre gars n'a même pas demandé son reste au père de la fille. »

Var. Se faire sortir la tête la première.

Thomas. Incrédule comme Thomas.

Tout à fait incrédule.

Référence au personnage biblique bien connu.

Var. Être comme Thomas.

Civ. trad.

Tigre. Malin comme un tigre.

Très malin, irascible, colérique.

Parler des Can. fr.

Tinette.

Voir: **Goût.**

Toile. Faire la toile.

Avoir les dernières convulsions, perdre connaissance.

Notamment à propos d'un agonisant.

Parler des Can. fr.

Coll. Massicotte.

Token. Ne pas avoir une token.

Être dans l'extrême dénuement.

(« Token », angl.: jeton.) Allusion aux jetons qu'on utilisait autrefois pour prendre le tramway. Ainsi, *ne pas avoir une token*, cela signifie ne même pas pouvoir prendre le tramway, autrement dit être très pauvre. *Var.* Ne pas avoir une cenne qui l'adore.

Tôle. Ne pas avoir une tôle.

Être sans le sou.

D'après Bloch et Wartburg *(Dict. étymologique)*, *tôle* pourrait venir d'une forme dialectale de *table* usitée dans la province française.

Tôlé. Être tôlé.

Être sans inhibition, effronté.

« On peut dire qu'il était tôlé d'avoir été mettre la gomme sur la chaise du professeur et devant toute la classe à part ça. »

Tomate. Rouge comme une tomate.

Très rouge.

Se dit d'une personne qui rougit par suite de gêne ou de colère subite.

Litt. orale.

Tombe. Discret comme la tombe.

D'une grande discrétion.

« Tu peux tout lui confier, il est discret comme la tombe. »

F.C. Être une tombe.

Litt. orale.

Tonne. Gros(se) comme une tonne.

Très gros(se).

Se dit d'une personne de très grosse taille.
Tonne: tonneau de grande dimension.
Litt. orale.

Tonne. Sentir la tonne.
> *Sentir l'alcool.*
> Se dit d'une personne ivre ou qui a bu au point de sentir l'alcool.
> *Var.* Sentir le fond de tonne, la robine (« rubbing alcool », angl.: alcool de bois).
> Tonne: tonneau de grande dimension, barrique dans laquelle on fait vieillir les alcools.

Tonneau. Boire comme un tonneau.
> *Boire beaucoup, s'enivrer.*
> *Litt. orale.*
> Voir: **Trou.**

Tortue. Courir comme un tortue.
> *Courir lentement.*
> Référence à la lenteur proverbiale de cet animal.

Tortue. Lent comme une tortue.
> *Très lent.*
> *Litt. orale.*

Touches-y pas. S'appeler touches-y pas.
> Se dit pour éloigner celui qui voudrait s'emparer de quelque chose qui nous appartient en propre. Ne s'utilise que sous la forme: « Ça s'appelle touches-y pas! »
> *Parler des Can. fr.*

(ill. 18)

Tour. Gros comme la tour à Babel (sic).
Très gras, qui souffre d'embonpoint.
Se dit à propos d'un obèse.

Tourte. Tomber à terre comme une tourte.
S'écraser.
Référence à l'oiseau de ce nom dont on se nourrissait, qui pullulait au début de la colonie et que les habitants massacrèrent par milliers jusqu'à ce que l'espèce disparaisse. Vers la fin du siècle dernier, cet oiseau était déjà devenu rarissime.
« Ti-Bi lui a donné un coup de poing qui l'a fait tomber à terre comme une tourte. »
Île Verte.

Trafic. Aller jouer dans le trafic.
Filer, se débiner.
S'emploie notamment à la forme impérative, pour éconduire un importun.

Train. Faire le train.
Traire les vaches, faire le ménage dans l'étable.
« Athanase est parti faire le train, il va être icitte dans une pipée. »

Train. Filer le grand train.
Filer rapidement.
D'un cheval surtout, aller au grand trot.
Parler des Can. fr.

Train. Mener un train d'enfer.
Faire beaucoup de bruit, de tapage.
Var. Faire du train, faire un train du beau diable.

Train. Soulever le train de quelqu'un.

Secouer quelqu'un de sa torpeur.

Allusion à l'arrière-train, au postérieur; ainsi, soulever le train de quelqu'un, lui secouer le postérieur, le « fondement ».

Parler des Can. fr.

Traite. Payer la traite.

Payer à boire, offrir les consommations, y aller sans modération, faire pleuvoir les coups.

« Je lui ai payé la traite, je te dis, les coups pleuvaient, pis j'me suis déchargé le cœur itou. »

F.C. Payer la tournée.

Trente-six. Être sur son trente-six.

Être habillé avec recherche, élégance.

« Tous les dimanches le père Bouchard arrive à la messe sur son trente-six avec son boghei et sa vieille jument grise. »

Var. Être sur son trente-trois, sur son trente et un.

Trente sous. Changer quatre trente sous pour une piastre.

Échanger une chose ou une situation pour une autre d'égale valeur.

Ce que l'on continue d'appeler *trente sous* est la pièce de vingt-cinq cents qui en est depuis belle lurette son équivalent. Signifie notamment qu'il vaut mieux rester avec son malheur que de l'échanger pour un malheur équivalent ou des déboires supérieurs.

« ... ils disaient (nos grands-pères) que ramasser des trente sous avec des mitaines dans la neige, c'était pas payant! (...) c'est changer quatre trente sous pour

une piastre, comme on peut dire en bon canayen ... »
— Pierre Perrault, *Les Voitures d'eau*, p. 25.

Tricotage. Se mélanger dans son tricotage.

Se faire prendre à son jeu.

Se dit de quelqu'un qui use de tant de détours, de ruses qu'il ne sait plus finalement discerner le vrai du faux et commet toutes sortes de bévues dans ses propos. Allusion aux multiples détours de la laine dans un tricot.

Tripette. Ne pas valoir tripette.

Ne rien valoir, valoir peu.

Tripette: petite tripe. Cette expression se rencontre également en France, dans l'usage familier.

« Cette voiture ne vaut pas tripette, je devrai bientôt m'en débarrasser. »

Trognon. Jusqu'au trognon.

A l'extrême, jusqu'au fin fond.

Trognon: cœur d'un fruit ou d'un légume dépouillé de sa partie comestible.

« Cet homme est vraiment pourri jusqu'au trognon, avec trois meurtres à son actif et aucun remords. »

Trognon. Poigné jusqu'au trognon.

Très complexé, battu de toute part, criblé de dettes ou de soucis.

Se dit de celui qui est battu sans rémission ou dont l'abattement est total. Etymologiquement, *trognon* serait dérivé de *tronc* et de son équivalent verbal *estrogner* (XIVe siècle) qui signifie *étronçonner*. F.C. Acculé au pied du mur.

Trotte. Partir sur la trotte.

Se déplacer, sortir, aller d'un endroit à l'autre, courir les filles, les lieux de plaisir.

Familier: allusion au trot du cheval.

« Georges est encore parti sur la trotte, il ne r'soudra pas avant lundi matin, garanti! »

Trou. Avoir le trou du cul joyeux.

Se dit d'une personne qui laisse échapper des gaz, des pets, en public.

Île Verte.

Troublé. Être troublé.

Être fou, perdre son sang-froid, perdre tout contrôle sur soi.

Référence à l'eau trouble.

« S'il t'a donné une claque sur la gueule, c'est parce qu'il était troublé, autrement je vois pas d'autre raison. »

Parler des Can. fr.

Trou. Être attelé au dernier trou.

Être à bout de ressources, être près du dénuement.

Parler des Can. fr.

Trou. Manger comme un trou.

Manger avec voracité, sans arriver à satiété.

La comparaison « boire comme un trou » se rencontre plus communément.

Var. Boire comme un trou.

Parler des Can. fr.

Litt. orale.

Trou. Péter plus haut que le trou.

Snobber, parader, s'afficher sans raison.

Var. Faire son jars.

F.C. Être gonflé d'importance.

V

Vache. Avoir mangé de la vache enragée.

Être en rage, en colère, être d'humeur maussade.

Expression d'usage général.

Vache. Être trop fort pour une vache.

Être au-delà de ses forces.

Formule amusante.

Parler des Can. fr.

Vache. Être une vache à deux queues.

Formule énigmatique.

Vache. Être vache.

Être paresseux (paresseuse).

Se dit indifféremment d'un homme ou d'une femme.

Vaches. Le diable est aux vaches.

Le désordre, le chaos règne.

Parlant d'un chambardement, d'un chaos indescriptible. Pourrait avoir pour origine la nervosité des bovidés que l'on attribuait autrefois à la possession satanique.

« Comment! vous ne savez pas? Mais le diable est aux vaches dans le Toa! ... Y a peut-être cinquante personnes de rendues dans l'étable à Baptiste ... »
— Opuscule populaire ancien.

Vaches. Lever ses vaches par la queue.
Négliger ses animaux.
En parlant des animaux de ferme.
Parler des Can. fr.

Vaches. Ne pas avoir plus de bon sens que de monter les vaches au grenier.
N'avoir aucun bon sens.
Se dit à propos d'un individu particulièrement insensé.

Vaches. Téter les vaches.
Coûter cher.
« Sa maison lui a coûté les yeux de la tête, ça tète les vaches, ces bâtiments-là! »

Vargeux. Ne pas être vargeux.
Ne pas être appréciable, extraordinaire.
Autrement dit, être médiocre, banal.
« Tout d'un coup je me vire à haïr cette affaire-là, moi? Se marier rien que pour le plaisir de la chose, c'est pas... c'est pas vargeux. » — Pierre Perrault, *Les Voitures d'eau*, p. 61.

Vase. Clair comme de la vase.
Ambigu, vague.
Se dit à propos d'une affaire, d'une situation. Par opposition à *clair comme de l'eau de roche.*

Va-vite. Avoir le va-vite.

Avoir la diarrhée.

Allusion aux envies soudaines et irrépressibles qui sont les symptomes de ce malaise. Descriptif.

« Il a mangé queq' mauvaise affaire qui lui a fait avoir le va-vite toute la nuit, rien qu'au matin que ça s'est calmé. »

Var. Avoir le va-y-vite.

Parler des Can. fr.

Veau. Brailler comme un veau.

Pleurer beaucoup, abondamment.

Se dit de quelqu'un qui souffre d'une peine profonde et le manifeste ostensiblement.

Var. Pleurer comme un veau.

Litt. orale.

Veau. Être une femme qui perdrait son veau.

Se dit d'une femme négligente, qui laisse tout traîner.

Coll. Massicotte.

Veau. Foirer comme un veau.

S'effondrer, tomber.

Allusion à l'équilibre mal assuré du veau.

Parler des Can. fr.

Veau. Plumer son veau.

Vomir en état d'ivresse.

Voir: **Queue.**

Veline. Jeter sa veline.

Faire des folies de jeunesse.

Veline est vraisemblablement dérivé de *velin*, qui est

de la peau de veau mort-né. Godefroy *(Dict. de l'ancienne langue fr.)* cite un extrait datant du XVe siècle dans dans lequel apparaît ce mot: « ...et pluseurs fois avoit tué et affolé pluseurs de beufs bestes velines et porcines dudit Guillaume, » (extrait). Jeter sa veline, c'est donc, littéralement, *jeter son veau,* c'est-à-dire s'affranchir, faire sa vie de jeunesse.
Parler des Can. fr.

Vent. Avoir marché le vent dans le dos.
Avoir les oreilles décollées.
Familier.
Voir: **Aires.**

Ventre. Se plaindre le ventre plein.
Se plaindre dans l'abondance.
Se dit à propos d'une personne souvent plaignarde ou pleurnicharde.

Ver. Nu comme un ver.
Flambant nu.
« Le petit Georges était nu comme un ver devant les invités ahuris. »

Verre. Avoir un verre dans le nez.
Être légèrement ivre, « pompette ».
« Aux fêtes, quand il arrivait, l'oncle Athanase avait presque toujours un verre dans le nez. »
Var. Avoir un coup dans le nez; se sentir pompette.

Verre. Se noyer dans un verre d'eau.
S'embarrasser avec un rien.
Se dit quand une personne manque particulièment de savoir-faire, de débrouillardise.

Vers. Ne pas être piqué des vers.

Être excellent, formidable.

Vraisemblablement, référence aux fruits et légumes qui ne doivent pas être piqués des vers, envahis par les vers. Se dit indifféremment des êtres ou des choses.

Vers. Tirer les vers du nez.

Extorquer un secret, une confidence.

Expression d'usage général.

Vesse. Blême comme une vesse de carême.

Très blême, pâle.

Se dit d'un individu au teint blafard, maladif. Le carême observé autrefois était une période de jeûne strict. On peut aisément imaginer, par conséquent, à quoi devait ressembler une vesse de carême.

Parler des Can. fr.

Veuves.

Voir: **Genoux.**

Vie. Bon comme la vie.

Très bon, sans malice.

Se dit d'une personne d'une grande bonté.

Var. Bon comme du bon pain.

F.C. Respirer la bonté.

Parler des Can. fr.

Vieille. Baisser la vieille.

Manquer son coup, revenir bredouille.

« Le grand Rodrigue était parti du campe pour chercher la petite Marjolaine mais il a baissé la vieille. »

Var. Baiser la vieille.

Parler des Can. fr.

Vieux. Sentir le petit vieux qui monte tranquillement sur le fani (dans le fenil).
Sentir mauvais, dégager une odeur nauséabonde.
Fenil ou fani: lieu où on entrepose les foins, habituellement à l'étage d'une grange.

Vieux-gagné. Vivre sur le vieux-gagné.
Vivre sur l'épargne accumulée.
F.C. Vivre sur l'air d'aller.
Parler des Can fr.

Vin.
Voir: **Eau.**

Vipère. Avoir la langue comme une vipère.
Être médisant, dénigreur.
F.C. Avoir une langue de serpent.
Civ. trad.

Vire-brequin. Croche comme un vire-brequin (vilebrequin).
Se dit d'un objet aux courbes prononcées, d'une route tortueuse. Aussi d'une personne malhonnête.

Visage. Faire bon visage contre mauvaise fortune.
Accepter l'adversité avec philosophie, sérénité.
F.C. Faire contre mauvaise fortune bon cœur.

Vision. Passer comme une vision.
Passer très vite, en trombe.
F.C. Passer en coup de vent.
Parler des Can. fr.
Voir: **Éclair.**

Visou. Avoir du visou.

Viser juste, être tireur d'élite.

« On peut dire que le père a du visou pour tuer un ours entre les deux yeux à un demi-mille de distance.

Vitesse. Quand la vitesse a passé tu n'étais pas né. Se dit de quelqu'un qui est d'une lenteur excessive, propre à exaspérer.

Voleur. Gras comme un voleur.

Très gras.

Se dit d'un individu ou d'un animal.

« Ton matou est gras comme un voleur, je suis sûr qu'il a mangé une de mes poules. »

F.C. Gras à lard.

Voleur. Riche comme un voleur.

Très riche.

Parler des Can. fr.

Voir: **Moine.**

Vues.

Voir: **Gars.**

Voyage. Avoir son voyage.

En avoir par-dessus la tête.

Var. Avoir son quota, son lode (« load », angl.: charge).

F.C. Avoir sa claque.

Waque. Lâcher un waque.

Lancer un cri, lancer un appel en criant.
Waque: vraisemblablement de l'anglais populaire.
« Si t'as besoin d'aide, t'as juste à lâcher un waque
pis j'm'en viens. »

Watap. N'avoir plus que le watap.

Se dit à propos de quelqu'un qui souffre de faiblesse,
qui a peine à se tenir. *Watap:* mot indien qui désigne
la pièce principale de l'armature d'un canot d'écorce,
la quille. D'après le *Glossaire du parler français au
Canada,* de même que le *Dictionnaire canadien-
français* de Sylva Clapin, ce mot désigne la racine
d'épinette rouge servant à coudre les canots d'écorce.
Parler des Can. fr.

YZ

Yeux. Avoir des yeux de chat.

Avoir de grands yeux, les yeux écarquillés.

Yeux. Avoir les yeux dans la graisse de bines.

Se dit de quelqu'un qui a les yeux écarquillés et vitreux à cause de l'ivresse ou de la fatigue. Bines (« beans », angl.: haricots au lard.) Expression d'usage commun.

Yeux. Avoir les yeux plus grands que la panse.

Désirer plus qu'on ne peut absorber.

Se dit surtout de quelqu'un qui désire manger beaucoup sans en avoir la capacité. S'emploie souvent en parlant des enfants.

Yeux. Coûter les yeux de la tête.

Être très cher, inabordable.

Se dit de quelque chose d'un prix disproportionné à ses moyens.

Yeux. Faire des yeux de porc frais.

Faire de gros yeux, des yeux colériques.

Descriptif. Se dit à propos d'une personne en colère.

Zarza. Faire le zarza.

Faire le niais, l'imbécile.

« Il fait le zarza pour t'avoir mais crois-moi, il est très intelligent, attention! »

Amanchure de broche à foin. *f.* Quelque chose de tout rafistolé; ainsi, par exemple, d'un véhicule qui ne *tient plus que par les caresses,* on dira que c'est une vraie *amanchure de broche à foin.* L'expression vient de ce qu'autrefois, sur les fermes isolées, on devait rafistoler tant bien que mal les instruments aratoires à l'aide de *broche à foin* qui se trouvait à sa portée, c'est ainsi que l'expression est devenue synonyme de « brinquebalant ».

Bébitte du diable. *f. Personne pleine d'entrain. (Fantastique de la Beauce).*

Bête noire. *f. La bête noire de la famille,* le mauvais sujet, celui qui donne du fil à retordre; *F.C.* Mouton noir.

Bœuf à spring. *m.* « spring » (angl.: ressort); c'est-à-dire littéralement, du bœuf qui rebondit sous la dent; viande coriace, de mauvaise qualité. « Toute l'année, vu qu'on était trop pauvres, on a mangé du bœuf à spring. »

Boîte à cossins. *f. Boîte de menus articles;* souvent, tiroir où on dépose les petites choses qui peuvent toujours servir le moment venu.

(ill. 19)

Bon diable. *m. Une bonne personne. (Fantastique de la Beauce)*

Bosse de plaisir. *f. Mont de Vénus. (Île Verte)*

Brasse-camarade. *m. Remue-ménage;* « Tout ne va pas bien dans cette classe, il va sûrement y avoir du brasse-camarade ».

Bureau de poste. *m.* Se dit d'une table, d'un pupitre sur lequel on écrit et à l'intérieur duquel on range son papier. *(Île Verte)*

Chienne de côteau. *f. Excréments de porc;* s'utilise dans la région de la Beauce.

Chèques raides. *m. Assistés sociaux;* « Nom donné aux assistés sociaux qui reçoivent du gouvernement un chèque mensuel sur lequel est écrit: S.V.P. ne pliez pas — Do not fold. » — Cliche et Ferron, *Quand le peuple fait la loi,* p. 143.

Chique-la-guenille. *m. Boudeur;* « Laissez-le, c'est un chique-la-guenille. »

Corps sans âme. *m. Nonchalant;* également, nom d'un personnage fabuleux apparenté au diable; « C'était l'corps sans âme qui s'en v'nait. » — Dupont, *Fantastique de la Beauce,* p. 81. Voir aussi: **Flanc mou.**

Diable à quatre. *m. Chaos;* « Dans la maison, aux Fêtes, c'était le diable à quatre. » On dit aussi *mener le diable à quatre* pour faire du vacarme. *F.C.* Le bordel.

Diable bleu. *m. Mélancolie profonde, spleen;* nom que donnaient les *Canayens* à ce phénomène, par opposition au

diable couleur de rose; « Ne me parle point si sérieuse-
ment, Tancrède, disait Pauline: j'ai une forte disposition au
diable bleu. (...) Je te la communiquerai (la nouvelle
importante)* lorsque tu auras le *diable couleur de rose.* »
— Eraste d'Odet d'Orsonnens, *Une Apparition,* Montréal,
1860, pp. 104-105.

Dire de vérité. *m. Proverbe;* ce terme est utilisé dans la
chanson de Jean-Paul Filion, *La Pitro.*

Dort-dans-l'auge. *m. Fainéant;* le *Glossaire du parler
français* accorde à *dort-debout* une signification identique.

Engraissement de saurouest. *m.* se dit, en météorologie
populaire, d'une accumulation de nuages au sud, se dissi-
pant en vent plutôt qu'en pluie. *(Trésor ds montagne)*

Estomac frette. *m. Panier percé, délateur;* se dit de quelqu'un qui ne peut garder aucune confidence.

Face à claques. *f. Individu détestable;* c'est-à-dire littéralement, celui qu'on désirerait gifler rien qu'à le voir. *F.C.*
Une figure à gifler.

Face à deux taillants. *f. Hypocrite;* référence au taillant
d'un couteau, d'une hache, c'est-à-dire à son rebord tranchant. *Var.* Visage à deux faces. *(Civ. trad.)*

Face de diable. *f. Déplaisant. (Fantastique de la beauce)*

Femme de dehors et puis de dedans. *f. Femme pouvant
tout aussi bien s'occuper des travaux de la maison que de
ceux des champs.* Familier. Bref, une femme « dépareillée »,
une « perle ». *(Fantastique de la Beauce)*

---

*Je mets moi-même entre parenthèses

Flanc mou. *m. Nonchalant;* « un grand flanc mou, qui ne savait pas quoi faire de son corps. » Se dit également pour *paresseux.*

Fonçure traînante. *f.* Se dit d'un homme à la démarche lente. *Fonçure:* planches qui constituent le fond d'une carriole ou d'une chaise. *(Parler des Can. fr.)*

Front noir. *m. Chenapan;* se dit de celui qui aime faire des mauvais coups. *F.C.* Un mouton noir. *(Civ. trad.)*

Grand fanal. *m. Homme grand et mince; Var.* Un grand slaque (« slack », angl.: lâche, mou), un grand fouette (fouet), un grand flanc mou. *(Civ. trad.)*

Grand jack. *m.* Personne de haute taille.

Grippe-sous. *m. Avare;* « Séraphin Poudrier est un grippe-sous que tout le monde connaît. » *(Civ. trad.)*

Gros plein de soupe. *m. Dégonflé.*

Grosse torche. *f. Femme corpulente.* Péjoratif.

Haute gomme. *f. Haut placé dans la hiérarchie. Var.* Le grand monde. *(Parler des Can. fr.)*

Heure du diable. *f. Heure avancée;* par opposition à *heure normale.* Allusion à la tombée hâtive de l'obscurité à l'heure avancée et conséquemment à la présence possible du diable qui se manifeste toujours, au dire de la croyance populaire, la nuit tombée. *(Fantastique de la Beauce)*

Homme qui a vu l'homme qui a vu l'ours. *m. Intermédiaire, personnage inexistant.*

Ligne à hardes. *f. Corde à linge;* s'utilise dans la région de la Mauricie. Hardes: vêtements, autrefois.

(ill. 20)

Morceau de voisin. *m.* Se dit du morceau de cochon que chacun donne au voisin quand il fait boucherie. *(Île Verte)*

Mouche à marde. *f.* « Suiveux ». Se dit de celui qui suit autrui à la trace et ne veut plus s'en détacher. *F.C. Emmerdeur.*

Mouton noir. *m.* Se dit d'un enfant indigne d'une famille, qui est la honte de la famille.

Pâté de broquettes. *m.* Se dit des difficultés inhérentes à la recherche d'un but; « Avant de conquérir Marie-Louise, j'ai dû manger pas mal de pâtés de broquettes. » *(Île Verte)*

Patinoire à poux. *f.* Se dit d'une tête atteinte de calvitie.

Pattes de mouches. *f. Caractères illisibles;* se dit d'une écriture indéchiffrable. « L'ordonnance du docteur était illisible, de vraies pattes de mouches. »

Peigne de corne. *m. Mesquin;* « Ces pommes, le jeune homme devait (…) les remettre à la fin de la soirée à sa compagne de jeu sinon on le traitait de « peigne de corne », ce qui veut dire mesquin. » — Morin, *Les étapes de la vie des paroissiens de Saint-François.*

Rongeur de balustre. *m. Dévot excessif; Var.* Mangeur, mangeux de balustre, punaise de sacristie. *(Parler des Can. fr.)*

Spote à panneau. *m. Richard possédant une grosse automobile;* formule de dérision. Péjoratif.

Talle de plaisir. *f. Bosquets des champs;* ce nom vient vraisemblablement de ce qu'on s'y cache pour goûter aux plaisirs défendus. *(Île Verte)*

Tâte-menotte. *m. Jeune homme affectueux;* se dit de celui qui cherche à se coller, qui recherche les attouchements. *(Civ. trad.)*

Temps de chien. *m. Temps maussade;* le chien, dans la pensée populaire, a souvent une connotation négative, ainsi on dira *c'est un chien* pour: c'est un salaud, ou encore *un travail de chien* pour: un travail difficile.

Tête de cochon. *f. Individu buté; Var.* « boqué ».

Tête de linotte. *f. Écervelé;* se dit d'un individu superficiel.

Tête de pioche. *f. Entêté, écervelé;* se dit de celui qui n'en fait qu'à sa tête, ne tenant pas compte de l'opinion d'autrui. *F.C.* Forte tête. *(Civ. trad.)*

Tête heureuse. *f. Individu inconséquent.*

Traîne-savate. *m. Paresseux. (Litt. orale)*

Trésor oublié. *m. Célibataire âgé;* se dit d'une « vieille fille » ou d'un « vieux garçon ».

Vache à lait. *f.* Se dit d'une personne ou d'une entreprise de qui on tire beaucoup d'argent, qu'on exploite à seule fin pécuniaire.

Veuve à l'herbe. *f. Épouse séparée;* allusion à l'animal qu'on met seul dans un enclos afin qu'il récupère ses forces.

Vieux de la vieille. *m. Ancêtre, vieillard très âgé, très expérimenté.*

Vire-capot. *m.* Se dit de celui qui modifie constamment son opinion, en ce qui concerne la politique notamment.

Péjoratif. Autrefois, la population, plutôt conservatrice, ne tardait guère à fustiger celui qui changeait trop subitement d'allégeance politique ou d'opinion, l'affublant du nom abhoré entre tous de *vire-capot*.

Informateurs

Angers, René, 23 ans (1970), professeur, a déjà habité St-Aimé des Lacs, natif de Montréal.

Aubé, Lucien, 33 ans (1976), ébéniste, Montréal.

Beaulieu, Victor-Lévy, 33 ans (1978), écrivain, originaire de Saint-Jean-de-Dieu, Gaspésie.

Bélanger, Hélène, 65 ans (1974), infirmière à la retraite, Montréal.

Bélanger, Lise, étudiante.*

Bélisle, Carole, étudiante.*

Bergeron, Alain, chansonnier, 1974.

Bergeron, Clara, 61 ans (1970), retraitée, originaire de Nicolet; Candiac.

Bergeron, Françoise, 34 ans (1970), institutrice, Saint-Fidèle, (Charlevoix).

Bergeron, Michelle, 31 ans (1974), institutrice, Montréal.

Boilard, Denise, étudiante.*

Boucher, Eudore, 64 ans (1970), retraité, originaire de Manche-d'Épée, Gaspésie.

Boucher, Guy, travailleur, Forestville, Côte-Nord.

Boucher, Johanne, étudiante.*

Boulet, Nicole, étudiante.*

Bourdage, M., ménagère, Montréal, 1973.

Bourdeau, Marjolaine, étudiante.*

Bricault, Maurice, enseignant, Montréal.

Brin, Paulette, travailleuse, originaire de Nicolet; Montréal.

Brochu, Michel, enseignant, originaire de Québec; Montréal.

Brousseau, Murielle, étudiante.*

Caouette, Réal, politicien, décédé, Rouyn, Abitibi.

Cardin, Sylvie, étudiante.*

Caron, Maurice, étudiant.*

Chandonnet, Denis, étudiant.*

Côté, Harold, étudiant.*

Côté, John, 73 ans (1970), ex-bûcheron, originaire de Amqui, réside depuis 33 ans à Val-Brillant, Gaspésie.

Coutlée, Normand, étudiant.*

D'Amours, Danielle, 14 ans (1970), étudiante, Val-Brillant, Gaspésie.

Desgagné, Madeleine, 49 ans (1970), ménagère, originaire et résidente de Saint-Gédéon, Lac-Saint-Jean.

Desgagné, Marie-Ange, 52 ans (1970), commis, Saint-Gédéon, Lac-Saint-Jean.

Desgagné, Marie-Claire, 52 ans (1970), ménagère, Saint-Gédéon, Lac-Saint-Jean.

Desgagné, Marie-Émilie, 58 ans (1970), ménagère, ex-institutrice, Saint-Gédéon, Lac-Saint-Jean.

Desrosiers, Charles, 25 ans (1970), manœuvre, Val-Brillant, Gaspésie.

Des Ruisseaux, Gaby, née Jacques, 29 ans (1970), originaire de Sherbrooke, ménagère; Laval.

Des Ruisseaux, Jean, 38 ans (1978), gérant des ventes, Montréal.

Dubois, Claude, étudiant.*

Farley, Francine, 22 ans (1974), travailleuse, Montréal.

Farley, Jean-Pierre, 28 ans (1974), postier, Montréal.

270

Forcier, Madeleine, étudiante.*

Fortier, Guy, 40 ans (1978), vendeur, Montréal.

Fortin, Guy, 27 ans (1978), rédacteur, originaire de la région du Lac-Saint-Jean; Montréal.

Fortin, René-Jacques, travailleur, (Mauricie).

Gagné, Daniel, 20 ans (1970), étudiant, originaire de Rouyn, Abitibi.

Gamache, Élaine, étudiante.*

Gauthier, Cathy, étudiante.*

Gauvreau, Michel, étudiant.*

Girard, Denis, étudiant.*

Gobeil, Martin, étudiant.*

Grenier, François, étudiant.*

Guérin, France, étudiante.*

Hamel, Réginald, enseignant, 1975.

Hébert, Alain, Montréal.

Houle, Léontine, 65 ans (1978), retraitée, Cap-de-la-Madeleine.

Inkel, Jacqueline, étudiante.*

Joncas-Desruisseaux, Jeannette, ménagère, décédée.

Laplante, Daniel, étudiant.*

Laplante, Laurent, journaliste, 1973.

Leblanc, André, étudiant.*

Lebrun, Sylvie, étudiante.*

Legault, Claude, étudiant.*

Lemaire, Carole, comédienne, Montréal, 1978.

Lemay, Michel, écrivain et étudiant, 28 ans (1977), Montréal.

Lévesque, Berthe, 63 ans (1970), retraitée, exception faite d'un séjour de 13 ans à Montréal, a toujours habité Saint-Gédéon au Lac-Saint-Jean.

Mathieu, Claudette, 40 ans (1973), institutrice, originaire de Québec; Sherbrooke.

Mercier, Johanne, étudiante.*

Monette, Lyane, étudiante.*

Morin, Michel, étudiant.*

Nadeau, Normand, étudiant.*

Palardy, Linda, étudiante.*

Paquette, Marcel, 30 ans (1978), menuisier, Montréal.

Petroff, Daniel, étudiante.*

Philion, Ronald, 29 ans (1976), instituteur, Montréal.

Pinsonneault, Céline, étudiante.*

Poirier, Lyne, étudiante.*

Racine, Daniel, étudiant.*

Robert, Johanne, étudiante.*

Roussel, Rock, 23 ans (1973), animateur social, Malartic, Abitibi.

Roy, Sylvain, étudiant.*

Saint-Germain, Yves, 25 ans (1973), vendeur, Montréal.

Saintonge, André, 53 ans (1970), employé des postes, originaire de Val-Brillant, Gaspésie.

Tardif, Émile, 46 ans (1978), vendeur, Montréal.

Thériault, Michelle, 66 ans (1979), correctrice, Montréal; son père a longtemps habité la région des Bois-Francs et voyagé dans la Beauce.

Tremblay, René, 51 ans (1970), curé de Grande-Vallée, originaire de Rivière-au-Renard en Gaspésie.

Trépanier, Laurence, 24 ans (1978), originaire de la région de l'Abitibi; Montréal.

Trudeau, Robert, étudiant.*

Vinet, Alain, vendeur, Montréal.

---

*Les informateurs dont le nom est suivi d'un astérisque étaient tous élèves de la polyvalente de la Magdeleine à Laprairie en 1977-1978. Les énoncés furent collationnés dans le cadre du cours « Français 512 » donné par le professeur Ronald Philion. Leur moyenne d'âge se situait (janvier 1978) à 16 ans environ et ils résidaient à Laprairie ou dans les environs de cette municipalité.

Bibliographie
sommaire

Anonyme. « La vente de la poule noire; anecdote canadienne », *Bulletin de la Société royale du Canada,* volume 13, no 1, 1919, pp. 77-94.

Anonyme. « Proverbes à propos de noces », *Bulletin des recherches historiques,* volume XXIX, p. 310.

Archives de Folklore. Fichier; collections Brown, Schmidt, Laforte, Marc-Régis, Dulong, Hare, Hamelin, Dupont, Ouellet, Lavergne, Faculté des Lettres, Université Laval, Québec.

Association canadienne des éducateurs de langue française, Commission permanente de la langue parlée, *Eléments de bibliographie sur la langue parlée,* Québec, 1967, 8 pp.

Barbeau, Marius. *L'Arbre des rêves,* Editions Lumen, Montréal, 1948, 189 pp.

Barbeau, Victor. *Le Français du Canada,* publication de l'Académie canadienne-française, Montréal, 1963 et nouvelle édition augmentée, Garneau, Québec, 1970, 303 pp.

Beaulieu, Victor-Lévy. *Manuel de la petite littérature du Québec,* Editions de l'Aurore, Montréal, 1974, 268 pp.

Bernard, Antoine. *La Gaspésie au soleil,* Les Clercs de Saint-Viateur, Montréal, 1925, 332 pp.

Berthelot, Hector. *Le bon vieux temps,* compilé, revu et annoté par E. Z. Massicotte, Beauchemin, Montréal, 1924, 2 tomes.

Bloch, O. et **Wartburg,** W. von. *Dictionnaire étymologique de la langue française,* Presses Universitaires de France, Paris, 1968, XXXVI + 682 pp.

Boucher-Belleville, Jean-Baptiste. *Dictionnaire des barbarismes et des solécismes les plus ordinaires en ce pays, avec le mot propre ou leur signification,* Imprimerie de Pierre Cérat, Montréal, 1855, 23 pp.

Clapin, Sylva. *Dictionnaire canadien-français* ou lexique-glossaire des mots, expressions et locutions ne se trouvant pas dans les dictionnaires courants et dont l'usage appartient surtout aux Canadiens-français, Beauchemin, Montréal, 1894, 389 pp.

Cliche, Robert et **Ferron,** Madeleine. *Quand le peuple fait la loi,* la loi populaire à Saint-Joseph de Beauce, Hurtubise/HMH, Montréal, 1972, 157 pp.

Collectif. *Veillées du bon vieux temps* à la bibliothèque Saint-Sulpice, à Montréal les 18 mars et 24 avril 1919, Ducharme, Montréal, 1920, 102 pp.

Coulson, John. *Dictionnaire historique des saints,* Société d'édition de dictionnaires et encyclopédies, Paris, 1964, 414 pp.

Cuoq, Abbé Jean-André. *Lexique de la langue algonquine,* J. Chapleau, Montréal, 1886, XII + 446 pp.

Dionne, Narcisse-Eutrope. *Le Parler populaire des Canadiens français* ou Lexique des canadianismes, acadianismes, anglicismes, américanismes, mots anglais les plus en usage au sein des familles canadiennes et acadiennes, Laflamme et Proulx, Québec, 1909, 671 pp.

Dubois, Marguerite-Marie et collaborateurs. *Dictionnaire français-anglais de locutions et expressions verbales,* Larousse, Paris, 1973, 387 pp.

Dulong, Gaston. *Bibliographie linguistique du Canada français,* Presses de l'Université Laval, Québec, et Librairie Klincksieck, Paris, 1966, 166 pp.

274

Cet ouvrage poursuit et intègre la Bibliographie linguistique du Canada français *de James Geddes et Adjutor Rivard, parue à Montréal en 1906 sous les auspices de la Société du parler français.*

Dupont, Jean-Claude. *Le Forgeron et ses traditions,* thèse de D.E.S., Université Laval, Québec, 1966, XXI + 275 pp.

Dupont, Jean-Claude. *Le Monde fantastique de la Beauce québécoise,* Collection Mercure, dossier no 2, Centre canadien d'études sur la culture traditionnelle, Musée national de l'Homme, Musées nationaux du Canada, Ottawa, octobre 1972, 116 pp.

Esnault, Gaston. *Dictionnaire historique des argots français,* Larousse, Paris, 1965, XVII + 644 pp.

Fréchette, Louis. *Contes de Jos Violon,* Editions de l'Aurore, Montréal, 1974, 143 pp.

Freeman, William. *A Concise Dictionary of English Idioms,* The Writer, Boston, 1963, 310 pp.

Geoffrion, Louis-Philippe. *Le Parler des Habitants de Québec,* Société royale du Canada, mémoires, 3ième série, volume XXII, Ottawa, 1928, 18 pp.

Geoffrion, Louis-Philippe. *Zigzags autour de nos parlers,* préface d'Adjutor Rivard, chez l'auteur, Québec, 1925-1927, 3 tomes, deuxième édition.

Girard, Rodolphe. *Marie-Calumet,* Editions Serge Brousseau, Montréal, 1946, 283 pp. (édition originale: Montréal 1904).

Godefroy, Frédéric. *Dictionnaire de l'ancienne langue française du IXe au XVe siècle,* Paris, 1880-1902, 10 tomes, réimprimé par Scientific Periodicals Establishment, Liechtenstein et Kraus Reprint Corporation, New York, 1961.

Godfrey, W. Earl. *Encyclopédie des oiseaux du Québec,* Les Éditions de l'Homme, Montréal, 1972, 660 pp.

Greimas, A. J. *Dictionnaire de l'ancien français,* Larousse, Paris, 1968, XV + 676 pp.

Hartzfield, Adolphe et **Darmesteter,** Arsène. *Dictionnaire général de la langue française* du commencement du XVIIe siècle jusqu'à nos jours, Delagrave, Paris, 1964 (réimpression), 2 tomes.

Harvey, Gérard. *Marins du Saint-Laurent,* Editions du Jour, Montréal, 1974, 310 pp.

Hauterive, R. Grandsaignes d'. *Dictionnaire d'ancien français,* Moyen Âge et Renaissance, Larousse, Paris, 1947, 592 pp.

Hogue, Marthe B. *Un Trésor dans la montagne,* Caritas, Québec, 1954, 279 pp.

Imbs, Paul et collaborateurs. *Trésor de la langue française,* Dictionnaire de la langue du XIXe et du XXe siècle, Editions du Centre national de la recherche scientifique, Paris, 1971-1977, 5 tomes.

Jutras, Vincent-Pierre. *Le Parler des Canadiens français,* manuscrit, La Baie-du-Febvre, 1917, texte dactylographié déposé à la Société du Parler français du Canada.

    Un double de ce texte a été réalisé et déposé par moi à la médiathèque de l'Université de Montréal.

Laberge, Albert. *La Scouine,* L'Actuelle, Montréal, 1972, édition originale: 1918.

Lafleur, Normand. *La Vie traditionnelle du coureur de bois aux XIXe et XXe siècles,* Leméac, Montréal, 1973, 305 pp.

Lamontagne, Roland. « Fais pas ton p'tit Jean Lévesque », *Revue d'histoire de la Gaspésie,* volume III, no 1, Gaspé, janvier-mars, 1967, pp. 46-50.

Lapointe, Gaétan. *Les Mamelles de ma grand-mère, les mamelles de mon grand-frère,* Editions Québécoises, Montréal, 1974, 63 pp.

Manseau, Joseph-Amable. *Dictionnaire des locutions vicieuses du Canada,* J.A. Langlois, Québec, 1881, 118 pp.

Marie-Ursule (c.s.j.), Sœur. *Civilisation traditionnelle des Lavalois,* Archives de folklore, 5-6, Presses Universitaires Laval, 1951, « Proverbes et métaphore », pp. 158-162.

Massicotte, Edouard-Zotique. « Coutumes et traditions se rattachant à la fête de Pâques », *Bulletin des recherches historiques,* volume 29, 1923, pp. 175-176.

Massicotte, Edouard-Zotique. Fonds Massicotte, fichier manuscrit déposé à l'annexe Aedigius Fauteux de la Bibliothèque nationale du Québec, Montréal.

Massicotte, Edouard-Zotique. « La vie des chantiers », *in Mémoires et comptes rendus de la Société royale du Canada,* Série V, 1922, pp. 1-25.

Morin, Louis. *Les Étapes de la vie des paroissiens de Saint-François,* travail du cours Histoire 101, Collégial 1A, Collège Sainte-Anne-de-la-Pocatière, mars 1966, 71 pp.

Orsonnens, Eraste d'Odet d', *Une Apparition,* Cérat et Bourguignon, Montréal, 1860, 180 pp.

Palay, Simin. *Dictionnaire du béarnais et du gascon modernes,* Editions du Centre national de la recherche scientifique, Paris, 1961, 1009 pp.

Perrault, Pierre. *Les Voitures d'eau,* Lidec, Montréal, 1969, 173 pp., tiré du film du même nom et du même auteur produit également en 1969 par l'Office national du film du Canada.

Rat, Maurice. *Dictionnaire des locutions françaises,* Larousse, Paris, 1957.

Rioux, Marcel. *Description de la culture de l'Île Verte,* bulletin no 133, no 35 de la série anthropologique, Musée national du Canada, Ministère du Nord canadien et des ressources nationales, division des Parcs nationaux, Ottawa, 1954, 98 pp., glossaire, pp. 70-72.

Rivard, Adjutor. *Études sur les parlers de France au Canada,* Garneau, Québec, 1914, 280 pp.

Roy, Carmen. *La littérature orale en Gaspésie,* bulletin no 134, Musée national du Canada, 1955, 389 pp., « Métaphores », pp. 185-189.

Roy, Pierre-Georges. « Nos coutumes et nos traditions françaises », *Les Cahiers des Dix,* numéro 4, 1939, Montréal, p. 88.

Smith, Donald et **Robinson,** Sinclair. *Manuel pratique du français canadien/Practical Handbook of Canadian French,* Macmillan of Canada, Toronto, 1973, 172 pp.
> Lexique québécois/français/anglais, de termes et de locutions utilisés au Québec.

Société du parler français au Canada. *Glossaire du parler français au Canada,* L'Action sociale, Québec, 1930, 709 pp.

Trudelle, Clément. « Le pain bénit », *Bulletin des Recherches historiques,* volume XVII, no 5, mai 1912, p. 163.

Vinay, Jean-Paul. *Bibliographie chronologique, 1936-1962,* Centre linguistique de Montréal, 1963, 15 pp.

Outre les publications citées plus haut, il convient d'ajouter à cette bibliographie les documents de toutes natures qu'il m'a été été donné de consulter occasionnellement au cours de la recherche: L'*Almanach de l'Action sociale catholique,* livraison de 1927, le *Dictionnaire Bélisle* de la langue française au Canada dans l'édition originale, le *Glossaire franco-canadien* de Oscar Dunn, l'*Encyclopaedia Universalis* de même que les dictionnaires Quillet (encyclopédique), Robert, Littré, et Webster *(Webster's New Twentieth Century Dictionnary).* Pour ce qui est des documents audio-visuels, nommons, « Le français d'aujourd'hui », série d'émissions télédiffusées sur les ondes de la Société Radio-Canada en 1974, l'« Émission Paul Dupuis », émission radiodiffusée sur les ondes de CKVL, à Verdun, « Mont-Joye », « Rue des pignons » et « Quelle famille », téléromans diffusés sur les ondes de Radio-Canada à différentes époques, de même qu'une dramatique de Serge Sirois, « Aujourd'hui peut-être » présentée à « Les beaux dimanches » toujours sur les ondes de la Société d'État; une pièce de Marcel Dubé, « Un simple soldat » et divers monologues de Yvon Deschamps; des longs métrages produits par l'Office national du film du Canada: « Partis pour la gloire » de Clément Perron, « Tout l'temps, tout l'temps » de Fernand Dansereau, « La maudite galette » sur un scénario de Jacques Benoît et « Où êtes-vous donc ».

278

INDEX LITTÉRAL

On trouvera dans cet index, à l'exception des mots clés, tous les termes significatifs qui apparaissent dans les énoncés, y compris leurs variantes.

B

Babel, 245
baguette, 169
baise-la-cenne, 141
baise-la-piastre, 141
bain, 231
baiser, 94, 158, 254
baissées, 96
baisser, 179, 254
balai, 126, 139, 165
balle, 192
baloune, 129
bananes, 117, 217
bandé, 155
barré, 217
barrer, 168
bas, 54
batailleur, 81
bâti, 129
bâtir, 13
battre, 18, 105, 121, 144, 195
bavard, 199
bayer, 86
beau, 16, 18, 101, 103, 104, 106, 110
beige, 240
belle, 16
bénir, 110
bête, 200
bines, 258
blague, 202
blanc, 112, 122, 135, 177
blé d'Inde, 135
blême, 112, 254

bleu, 101, 196, 214
bleus, 178
bœuf, 64, 130
bœufs, 61
boire, 46, 77, 118, 172, 238, 243
bois, 143
bolle, 185
bombé, 205
bon, 26, 33, 80, 153, 187, 254
bonhomme, 153, 227
bonnet, 240
bon sens, 251
bord, 53, 2..6
bossus, 41
botter, 194
bottes, 132
bottine, 118, 156, 200
boucané, 146
bouche, 188
bouché, 148
bouchons, 125
boule, 56
bouquet, 44
bourse, 106
bout, 132
boutonner, 151
boutons, 159
« boys », 30
brailler, 252
braise, 95
branche, 183
braque, 127
bras, 112, 149, 154
brasser, 50

G

H

Achevé d'imprimer le 20 février 1980
par les travailleurs des ateliers Marquis Ltée de Montmagny